CONVERSAS COM
IÇAMI TIBA

CONVERSAS COM

IÇAMITIBA

VOLUME **2**

- **ADOLESCENTES: QUEM AMA, EDUCA!**
- **O DESPERTAR DO SEXO**
- **O EXECUTIVO & SUA FAMÍLIA**

INTEGRARE
EDITORA

Copyright © 2008 Içami Tiba
Copyright © 2008 Integrare Editora Ltda.

Publisher
Maurício Machado

Assistente editorial
Luciana M. Tiba

Coordenação editorial
Miró Editorial

Copidesque
Márcia Lígia Guidin

Revisão
Cid Camargo / Carla Bitelli

Projeto gráfico de capa e miolo
Alberto Mateus

Diagramação
Crayon Editorial

Foto da capa
André Luiz M. Tiba

Dados Internacionais de Catalogação na Publicação (CIP)
(Câmara Brasileira do Livro, SP, Brasil)

Tiba, Içami
    Conversas com Içami Tiba : volume 2 -- Içami Tiba. -- São
Paulo : Integrare Editora, 2008.

    Bibliografia.
    ISBN 978-85-99362-23-5

    1. Adolescentes - Comportamento sexual 2. Adolescentes -
Educação 3. Adolescentes - Relações familiares 4. Educação sexual
para adolescentes 5. Executivos - Relações familiares 6. Pais e
adolescentes 7. Psicologia do adolescente I. Título.

08-00864   CDD-155.5

Índice para catálogo sistemático :
1. Adolescentes : Psicologia 155.5
2. Psicologia do adolescente 155.5

Todos os direitos reservados à INTEGRARE EDITORA LTDA.
Rua Tabapuã, 1123, 7º andar, conj. 71/74
CEP 04533-014 – São Paulo – SP – Brasil
Tel: (55) (11) 3562-8590
visite nosso site: www.integrareeditora.com.br

SUMÁRIO

Apresentação 9

ADOLESCENTES: QUEM AMA, EDUCA!

Adolescente: onipotência equivocada 13

    Personalidade como a palma da mão 14

    Vestibular aumenta a onipotência juvenil 16

    Um deus sobre quatro rodas 16

    Bebida embriagando o superego 17

    Onipotência na paixão 20

Amor e negociações entre pais e filhos 21

    Amor que dá: entre mãe, pai e bebê 21

    Amor que ensina: entre pais e filho criança 21

    Amor que exige: entre pais e crianças crescidas . . .24

    Negociação entre pais e geração *tween* 24

    Negociações e proibições 26

    Adolescentes: assédio moral familiar 27

    Negociação interrompida 30

    Negociação entre pais e geração carona 30

    Amor maduro entre pais e filho adulto 31

Pais que não têm tempo 31

    Pai sem tempo para brincar 32

    Mãe sem direito de ser mulher 32

    Mãe trabalhando atende telefonema do filho 33

    Pai trabalhando atende telefonema do filho 35

    Pit stop educativo 37

O DESPERTAR DO SEXO

Confusão pubertária: a inundação de hormônios 39

Púbere: camarão trocando a casca 39

A desobediência 40

Hormônios: determinismo biológico 41

Hormônio de crescimento 42

Hormônios sexuais 42

Desenvolvimento dos seios 43

Desenvolvimento dos testículos 45

Prazer sexual 46

Antes disso: os valores dentro da família. 48

Como evitar atropelos 51

Há pais que atropelam os filhos 52

Filhos que nada perguntam 53

O diálogo sexual saudável 54

O EXECUTIVO & SUA FAMÍLIA

Conhecendo o filho pequeno 57

O carinho do abraço fica 57

Por que choram tanto? 58

Mas que sujeira! 59

A base da educação 60

Aprendizado conseqüente 62

Invertendo o jogo da birra 64

Seu filho cresce, e aí ? 66

O pai e a escola 67

Um funcionário que não rende 68

Desinteresse pelo trabalho do pai 69

O que você faz com um cliente
ou um vendedor mal-educado? 71

Uso de drogas 71

Como o empresário lida com o abuso
de álcool e drogas? 72

Maconha: desculpas e mentiras 75

A hora da virada 79

E se o filho demora a crescer? 81

Como administrar a empresa-afeto 82

A mão e os cinco dedos 84

Qual seria a mão feliz? 84

Filhos de casamentos diferentes 86

E por fim, ética e cidadania 87

Sobre Içami Tiba. 90

CON
VERSAS

APRESENTAÇÃO

Para atender às solicitações de inúmeros leitores e admiradores que buscam uma leitura rápida, precisa e de fácil entendimento, escrevi "Conversas com Içami Tiba", uma coleção de bolso criada especialmente para você, caro leitor(a). Este volume contém as partes essenciais e práticas de 3 dos meus 22 livros: *Adolescentes: Quem Ama, Educa!*; *O Despertar do Sexo* e *O Executivo & Sua Família*.

Como educação é um processo de longo prazo, sugiro aos que quiserem aprofundar seus conhecimentos que leiam os meus livros, nos quais este volume se baseia.

Uma das mais importantes realizações do ser humano é ter filhos. Assim, a educação dos filhos passa a ser também uma das mais nobres funções dos pais. Tão importante quanto os aspectos genéticos são os aprendizados do nenê assim que nasce.

Assim como todas as crianças falam a língua que os pais usam em casa, o nenê já vai registrando a qualidade e conteúdo, bons e ruins, dos relacionamentos que os pais e o mundo estabelecem com ele.

Vivemos uma época realmente difícil. Quando os adultos pensam que já sabem tudo (o que é impossível), surgem avanços na vida de todos. O sonho mais saudável hoje não é mais ter tudo para ser feliz, mas conseguir aprender sempre e continuar aproveitando o que de melhor a vida pode lhe oferecer.

Fica difícil acreditar que ainda hoje possamos educar nossos filhos só porque já fomos filhos e vimos como funcionaram nossos pais. Estes nasceram no milênio passado e são meros migrantes para a internet, assim como nós, e para o celular multifunções. Enquanto isso, os filhos, hoje, não vivem sem o teclado nas mãos...

Só uma pequena comparação: os pais, quando crianças, iam de castigo para o quarto. Hoje, ficar de castigo no quarto é o que os filhos mais querem —, pois ficam longe dos pais e têm tudo o que ganharam e de que precisam.

Por isso, a educação é prioridade e obriga os pais a se atualizarem lendo tudo o que possa torná-los educadores mais competentes...

E é por tudo isso que convido você a ler este livro, para atualizar os princípios e práticas educativas aprovados hoje para a formação das diferentes personalidades dos seus filhos, dos seus alunos, dos jovens em geral.

Todos os pais que amam seus filhos desejam que eles sejam felizes e fazem o máximo, mas felicidade não se dá, não se compra e muito menos se empresta. É preciso que os pais ajudem os filhos a construir sua própria felicidade.

Estes são alguns dos muitos recados que eu lhe passo para que você tenha em suas mãos essas informações e as coloque em prática para ter uma qualidade de vida muito melhor para você, seus filhos e toda a família.

Sua família pertence à sociedade, e fazendo a sua parte, você a está melhorando também... e todos nós seremos melhores e mais felizes.

... Mãos à obra!

Grande abraço do
Tiba

CON
VERSAS

ADOLESCENTES: QUEM AMA, EDUCA!

Adolescente: onipotência equivocada

Um casal desesperado me trouxe uma carta que estava em cima da mesa do café da manhã. Era uma carta de despedida do filho, endereçada a eles e aos amigos: o rapaz comunicava que ia se suicidar, que sua vida tinha acabado, pois a garota que lhe interessava não queria nada com ele. *"Minha esperança morreu, assim como tudo para mim."* Sentia-se um perdedor, sem emprego, sem diploma, mesmo sendo *"boa pessoa, tendo boa família e os melhores amigos do mundo"* e... *"amando todos e amando muito a garota de onde estiver"*. Numa das frases dizia: *"Toda vida é preciosa, engraçado, menos a minha…"*.

E terminava a carta com um pedido, despedindo-se de todos: *"Por favor, me enterrem ao lado da pessoa "tal" ou me cremem e joguem as cinzas no mar, onde houver muitas baleias para eu poder viver a minha eternidade com elas. Adeus a todos. Lembrem-se, a estrela mais solitária no céu serei eu"*.

Quando li essa carta, o filho já havia sido socorrido a tempo de se evitar o pior.

Um outro rapaz, em situação emocional bem diferente, não teve a mesma sorte, porém, de continuar vivo. Era um excelente filho, dedicado aos estudos, nunca bebera na vida. Tinha feito o vestibular e conseguira aprovação. Quando soube o resultado, saiu para comemorar com os amigos. Bebeu além da conta e morreu ao espatifar seu carro contra outro numa das marginais em São Paulo.

Há casos ainda mais trágicos, como o do casal de namorados que planejava viver um sonho de amor, morando no "castelo" dos pais da princesa, e que acabou em um inesquecível pesadelo. Os pais da moça foram vítimas de um crime bárbaro que abalou não só a cidade de São Paulo mas o Brasil e o exterior: os namorados e o irmão dele os mataram a pauladas enquanto dormiam.

Embora com roteiros diferentes, as três histórias têm um denominador comum: a suposta onipotência juvenil. Em todas elas, o poder do jovem é sobre a vida – a própria e a dos outros.

Jovens são como monumentos
de deuses com pés de barros;
chega a água, e os vai desmoronando.

PERSONALIDADE COMO A PALMA DA MÃO
Podemos comparar a personalidade de uma pessoa com a palma de sua mão, e os dedos com os seus diversos papéis e/ou funções. Uma pessoa exerce diversos papéis. Um adulto é motorista, marido, profissional, pai, filho, provedor etc. Se for saudável, não pensa em suicídio, mesmo se houver frustração em um dos seus papéis.

CONVERSAS COM IÇAMITIBA

Um adolescente (ou alguém com uma personalidade não amadurecida) ainda não distingue bem a diferença entre a palma da mão e os dedos. Muitas vezes, ele acha que um dedo vale mais que a palma da mão: é quando um detalhe – um dos dedos – acaba com o todo.

A idéia de suicídio para aquele primeiro jovem veio num momento de desespero afetivo, por ter sido rejeitado. Era para ele tão importante ser aceito e amado pela namorada que todo o resto, como família, amigos e estudos ficaram cobertos pelo manto da depressão.

É a lei do tudo ou nada, bastante comum na onipotência juvenil. No "tudo", ele sente o máximo da força da vida para, em seguida, no "nada", continuar no máximo do nada. Ao tentar o suicídio, o jovem estava fazendo uso de um poder sobre a vida, só que em relação à própria morte.

Esse rapaz que tentou o suicídio agiu de forma tão onipotente a ponto de não reconhecer que outras pessoas poderiam ajudá-lo. A onipotência é um exagero na sensação subjetiva de poder. Faltou-lhe a sábia humildade para confiar nos pais e nos amigos. Se tivesse um poder real, "seus pés" não seriam tão frágeis a ponto de querer se matar.

Sentir-se poderoso faz parte do ser humano saudável, mas ter poder absoluto, isto é, ser onipotente, está fora da realidade. O real poder está na palma da mão, que comanda os dedos, e não o inverso.

CONVERSAS COM IÇAMITIBA

VESTIBULAR AUMENTA A ONIPOTÊNCIA JUVENIL

Ser aprovado no vestibular é uma grande alegria para o vestibulando, para a família, amigos... porque é um marco importante na vida de qualquer pessoa. Entretanto, existem alguns aprovados que se sentem superiores aos outros vestibulandos reprovados. Essa superioridade pode simplesmente ser um dado a mais agregado à onipotência juvenil. É como se eles estivessem dizendo "se nem um vestibular me deteve, nada mais há no mundo que me segure".

Esses jovens onipotentes costumam ficar arrogantes, antipáticos, horríveis para a convivência. Porém, nada mais fazem do que exagerar aquilo que havia antes de serem aprovados. Isso com exagero de seus pais. Muitos pais, por exemplo, dão de presente um carro para os filhos que começam a faculdade. Afinal, é um outro nível de vida, um novo *status*. Pensam que, para vir a ser um grande profissional é só uma questão de tempo.

UM DEUS SOBRE QUATRO RODAS

Ninguém saudável pode se sentir deus só porque tem a ousadia de pisar fundo no acelerador do seu carro. Há pessoas que ao volante de um carro se transformam. Que mágica seria essa? São pessoas que se confundem com a máquina e se sentem tão poderosas quanto a potência do carro, tão invulneráveis quanto a proteção que a lataria lhes confere, tão soberanas que fazem do habitáculo o seu palácio... Ai de quem chegar perto. E, claro, "merece morrer" quem encostar nelas, que são ao mesmo tempo carro–pessoas. E quantos acidentes acontecem...

Ao jovem meio tímido, podia ser até que ninguém desse atenção numa balada, mas na rua não há como não reparar nele, já que sua personalidade se transforma, agora "veste" seu carro, fala alto (som), faz barulho (escapamento), tem pressa (dá arrancadas "cantando" pneus)... para ficar parado. Sim, porque o jovem onipotente e o seu carro ficam estacionados (colados um ao outro), expondo-se para ser vistos e admirados por outros que gostariam de estar no lugar dele. Agora ninguém pode com ele. Mesmo que o carro seja do seu pai...

Ninguém nega o poder natural e o conforto que um carro oferece a seu usuário, mas isso não transforma o carro em armadura poderosa. Mas o adolescente tem a tendência de, com sua auto-estima lá no alto, se pôr a rivalizar e a competir em potência, velocidade e habilidade com qualquer outro jovem piloto onipotente.

BEBIDA EMBRIAGANDO O SUPEREGO

A primeira estrutura psíquica que a bebida embriaga é o superego, responsável pelo controle social do comportamento do ser humano. O superego começa a se formar assim que a criança aprende os padrões comportamentais vigentes ao seu redor. Um superego muito exigente e rígido provoca inibição e timidez, porque faz a pessoa sentir que não pode errar.

Após os primeiros tragos, quando o bebedor começa a perder a inibição, dar gargalhadas ou querer abraçar as pessoas, coisas que normalmente não faz, significa que o seu superego já começou a ser atingido. Juntando à taquicardia a sensação de calor e euforia que o álcool provoca, mais o nocaute do superego, o bebedor fica totalmente à mercê dos seus instintos mais profundos e passa a fazer e falar tudo o que lhe passa pela cabeça.

Quanto mais se aumenta o teor alcoólico no sangue, maior é a probabilidade de acidente. Com cinco latas de cerveja, a possibilidade de acidentes é seis vezes maior que a média.

Mesmo que não fosse tão onipotente, nem tivesse histórico prévio de alcoolismo, aquele jovem que se viu aprovado no vestibular, ficou tremendamente feliz e sentiu-se vitorioso como os demais que com ele foram aprovados. "Eu consegui" é o grito que não quer calar... Nessa euforia, tinha de comemorar.

Não importam, porém, as razões que motivaram o jovem a beber; o álcool tem o seu próprio funcionamento químico dentro do corpo, e não depende da vontade do bebedor.

Despediu-se alcoolizado da turma e pegou o carro. Esta foi a última lembrança que ficou para os amigos. Mais um jovem onipotente morre alcoolizado em acidente de trânsito nas ruas da cidade.

O trágico é que as drogas e o álcool aumentam a sensação de onipotência. O jovem sente-se ainda mais poderoso. O onipotente acha que pode controlar a droga. Isso não é verdade, pois a droga tem o seu caminho bioquímico dentro do organismo, pouco depende da vontade. O único controle que os moços podem ter é não usá-la. E, se usarem demais, expõem-se ao risco de overdose, de, ao dirigirem alcoolizados, poderem sofrer e provocar graves acidentes de trânsito.

E as moças? Hoje as moças estão também abusando de drogas, submetendo-se a situações tão ou mais perigosas que os moços.

A única segurança de todos contra as drogas é não usá-las. Nenhuma outra medida funcionará bem, quando o cérebro estiver escravizado pela droga.

É muito comum um jovem sair de casa com a intenção de não usar a droga. Encontra os amigos, bebe uma cerveja e acaba usando a droga. Quando volta para casa, não entende por que usou (Ver mais sobre drogas na parte 3 desta obra).

ONIPOTÊNCIA NA PAIXÃO

Um casal de jovens, menores de 18 anos, apaixonados, disseram a seus pais que iam viajar com amigos, mas foram sozinhos para um lugar onde nunca haviam ido antes: queriam viver seu amor, e seus respectivos pais nem ficariam sabendo da aventura se ambos não tivessem sido brutalmente assassinados. Sem nenhum preparo mais cuidadoso, foram para um município da Grande São Paulo; passavam a noite numa choupana abandonada à beira de um caminho de pouco uso, dormindo praticamente no chão. Estariam vivendo provavelmente "o amor e uma cabana".

Ficou a dúvida: sendo ambos de classe média, estudantes de boas escolas, por que foram a esse local ermo? É local onde bandidos se refugiam, e a polícia praticamente não faz suas rondas lá. Mas um Romeu e uma Julieta são capazes de tudo para viver seu amor. Desconsideraram os perigos, os riscos de vida e de gravidez, o relacionamento com outras pessoas, mormente com os próprios pais. Parece que tudo vai acontecer maravilhosamente e a vida numa cabana, se houver muito amor…

Entretanto, a dura realidade mostrou seu lado duro e cruel. Ele foi torturado antes de morrer e ela seviciada várias vezes. Pobres de seus pais…

Amor e negociações entre pais e filhos

AMOR QUE DÁ: ENTRE MÃE, PAI E BEBÊ

A amamentação no início da vida é mais doação que troca. O bebê funciona mais por determinação genética que pela vontade própria. Cabe à mãe conseguir fazer a leitura adequada das necessidades do bebê e atendê-lo. A mãe funciona como um ego-auxiliar do filho, que necessita totalmente dela. Nessa etapa, o que demonstra a saciedade do filho é sua tranquilidade. Equivale a dizer que ele está feliz. E a mãe quer ver seu filho feliz. Esse é o **amor dadivoso**, que faz tudo pelo e para o bebê.

Esse amor é natural na **maternagem**, porque traz traços biopsicossociais. A mulher tem preparo biológico para ser mãe. Na **paternagem**, o homem precisa desenvolver esse amor dadivoso, pois não há preparo biológico para ser pai. Atualmente, porém, os homens estão se preparando melhor afetivamente e socialmente para exercer a paternagem.

AMOR QUE ENSINA: ENTRE PAIS E FILHO CRIANÇA

Criança precisa de adulto responsável à sua volta. Seus pais devem então funcionar como consciência familiar e social. A criança já mostrou seu querer. O aprender lhe dá segurança e independência. Cabe aos pais, através de estímulos, recompensas e reforços, começar a ensinar a aprender, pois a criança fará com ela mesma o que os pais fizeram a ela.

CONVERSAS COM IÇAMI**TIBA**

*O amor dadivoso é tão
prazeroso que, mesmo
quando não é mais necessário,
continua a ser dado,
tornando-se inadequado.*

É muito gostoso para os filhos receber tudo de mão beijada, sem nada ter a fazer. Porém, uma criança que nada faz não aprende. O que transforma as informações em conhecimento é a prática, o fazer. Esse é um dos motivos pelos quais uma criança precisa mais fazer que ouvir repetidas vezes.

É mais importante dar uma dica para a criança se lembrar do que foi aprendido do que ensinar tudo novamente. Ensinar repetidas vezes cansa o cérebro, enche a paciência e o relacionamento fica complicado. Depois das dicas, basta um dedo, um levantar de sobrancelhas para a criança lembrar "do que estava esquecendo".

Se a criança descobre o como fazer, fica mais fácil ensinar o **quando, onde e por quê**. E tudo isso dá independência e alimenta a auto-estima.

*Ensinar uma criança a aprender
é uma das maiores lições de vida que
os pais podem passar aos seus filhos.*

Ensinar algo exatamente no momento em que ela busca a resposta é o momento ideal do aprendizado. Tentar ensinar fora dessa hora é é desperdício de esforço dos pais e desgaste do filho para o aprendizado.

Quando pergunta, uma criança aguarda um tempo para ouvir uma resposta. É o **momento sagrado do aprendizado**. Em seguida, rapidinho, quer fazer sozinha...

Esse é o tempo adequado para semear também os ensinamentos que os pais queiram que seus filhos aprendam, incluindo os valores superiores (gratidão, religiosidade, disciplina, ética, cidadania, etc.). Assim, a criança precisa do **amor que ensina**, pois ela nasceu somente com seus instintos e um imenso potencial de apreender e aprender. O amor que ensina é um investimento afetivo e material para um bem viver futuro do filho.

Os pais, líderes educadores,
quando proíbem, mostram as
causas da proibição, fazendo
a criança "ver" os perigos.

É fundamental aplicar o Princípio Educacional da **Coerência, Constância e Conseqüência** nesse amor que ensina. Apesar de o amor ser direcionado para as crianças, sempre é tempo de ensinar todos que estão dispostos a aprender. O interessante é que quanto mais se sabe, mais se quer aprender.

AMOR QUE EXIGE: ENTRE PAIS E CRIANÇAS CRESCIDAS

Guardar brinquedos, arrumar o quarto? Se sabem fazer, por que os filhos não fazem? Porque têm permissão, declarada ou não, para não fazer, ou seja, mesmo que não façam, não há conseqüências com que arcar.

Tudo o que os pais ensinam penetra na criança como informação que pode se transformar em conhecimento. E o conhecimento se consagra pela prática, pelo uso, pela realização da informação, pois conhecimento é a informação em ação.

Quando uma criança faz, ela pode descobrir novos caminhos, buscar outros resultados.

É por isso que faz parte da educação progressiva o ter que guardar. Muitas vezes a criança tem uma inibição inicial, uma espécie de vergonha de guardar seus brinquedos, porque de fato nunca o fez. Se a criança não superar essa inibição, vai se tornando cada vez mais difícil realizar a ação. Se a criança não cumpre o dever, tem que se exigir dela que o faça. Sem cobrança, pode não haver aprendizado. A ação quebra a inibição.

NEGOCIAÇÃO ENTRE PAIS E GERAÇÃO TWEEN

Geração *tween* é uma geração nova, criada pelo *marketing* para definir um mercado consumidor específico de crianças de 7 a 12 anos de idade. São crianças identificadas pela idade biológica, mas são, sobretudo, consumidores de artigos de adolescentes como tênis, roupas, bonés, telefone celular, joguinhos eletrônicos, computador, blogs, internet etc.

São crianças precoces, mas abusadas e sem limites; seus pais ficam admirados pelos seu comportamento tão precoce, mas também ficam revoltados pelos gastos. É uma geração altamente consumidora, de modo geral constituída de um ou no máximo dois filhos.

Quanto ao desenvolvimento biopsicossocial da adolescência, os *tweens* englobam a etapa da confusão pubertária e final da infância. É nessa etapa que começam as modificações hormonais e tem início a formação do pensamento abstrato. As grandes questões que surgem na família são:

- o que os *tweens* querem comprar é essencial ou supérfluo?
- se os pais têm condições financeiras, prejudica ou não o comprar tudo o que os *tweens* querem?
- se os pais não podem comprar, porque o orçamento é apertado, devem fazer sacrifícios em outras áreas para satisfazer os *tweens*?

Ainda não existem estudos suficientes para se saber como cada *tween* evoluiu nas sociedades modernas. Mas algumas questões estão claras em relação à adequação: se uma família vive num orçamento apertado, vale a pena fazer um balanço financeiro com os custos de cada item essencial para a sobrevivência, incluindo o objeto do desejo do *tween*. Todos podem pensar juntos se o custo de um par de tênis ou de um celular compensa o sacrifício em outras áreas. Dessa maneira, os *tweens* têm a oportunidade de avaliar seus gastos para o contexto específico da sua família. Se for uma família abastada, mesmo assim, temos excelente oportunidade para a negociação.

> *Pais consumidores também precisariam refletir sobre seus próprios desejos para educar seus filhos. Os filhos aprendem muito imitando seus pais.*

Se a família vive com altos e baixos financeiros, seria bom que nas negociações entre pais e filho *tween* essa variável fosse incluída. Como entrar em prestações quando a família está com caixa alta, se quando o caixa abaixar não haverá como pagá-las?

NEGOCIAÇÕES E PROIBIÇÕES

Quanto aos comportamentos e costumes dos *tweens*, é bom os pais ficarem atentos. Eles querem acompanhar parentes e amigos de mais idade nos programas noturnos, e se enturmar com outros *tweens*. "Surfar" na Internet e jogar games no computador até tarde no computador é uma glória para eles.

O que se percebe é a falta de interesse em programas próprios para suas idades, como se já estivessem na adolescência. É como se o *tween* dissesse: "Se eu me vestir e me comportar como adolescente, sou um adolescente". É nessa etapa que odeia ser chamado de criança.

Mas os pais não têm de pagar por essa inconformidade dos filhos, por isso, devem ter atenção constante, pois um dia esses mesmos filhos podem não conseguir acordar para a escola, podem prejudicar os estudos, desleixar das tarefas escolares, não sair da frente do computador — comportamento típico e inadequado de adolescentes.

> *É muito difícil corrigir um erro*
> *que aconteceu há tempos.*

Os *tweens* e os púberes que têm adultos por perto conservam-se mais tempo longe das drogas. Um dos métodos eficazes para proteger crianças é tê-las perto de adultos responsáveis. Se não ficam sozinhos em casa, não têm por que saírem sozinhos de casa.

ADOLESCENTES: ASSÉDIO MORAL FAMILIAR

Existe assédio dentro da família no campo moral (assédio moral familiar), sendo o assediador na maioria das vezes o adolescente que tem como assediados os próprios pais. Mas pode também ocorrer o inverso.

Tárcio é um rapaz de 19 anos que ganhou um carro há um ano, quando entrou na faculdade. Bom aluno, querido pelos avós e tios, é cortês mas calado. Dentro de casa, porém, se transforma em tirano. Seus pais já não sabem o que fazer com ele: impõe todas as suas vontades, não aceita ser contrariado, ofende e agride a todos por motivos irrelevantes, faz seu prato e vai comer no quarto, não cumprimenta os pais e passa reto, como se eles não existissem. Tárcio sempre diz que vai acabar com eles e ficar com tudo, pois não agüenta mais a presença dos pais e diz que eles deviam se suicidar. Para os avós reclama que os pais o maltratam, que os pais o rejeitam, que qualquer dia ainda foge de casa.

Filho único, Tárcio sempre teve tudo o que quis e ainda ganhava dos avós sem nada pedir. Os pais já tentaram cortar a mesada, mas o pouco de que precisa seus avós lhe arrumam. Cortar saídas não o atinge, pois quase não sai nem do quarto. Não existe possibilidade de conversar. Não diz do que precisa e o que diz é que quer que seus pais morram. Os pais, apesar de serem pais, sentem-se mais fracos que o filho, que se sente forte justamente pela impotência deles. E esses pais não contam para ninguém, com receio de expor o filho e de vergonha pelo que estão passando. Para eles o filho ainda está acima de tudo e de todos.

Tárcio estava, nesse relato, em plena onipotência juvenil. Com sua entrada na faculdade a onipotência se confirmou, porque superou uma grande barreira, que é o vestibular. Todo onipotente piora quando seu poder social aumenta. Os pais de Tárcio sempre viveram em função do filho e sempre prevaleceu o amor dadivoso sobre o amor que ensina. E nem pensaram no amor que exige.

A única exigência dos pais era que o filho fosse bem na escola. Ir bem na escola, nunca repetir, nunca ter levado um bilhete de advertência para casa não eram motivos suficientes para Tárcio sentir-se com autonomia comportamental. Para Tárcio, os pais eram os obstáculos para sua realização, pois seus pedidos representavam que ainda era uma criança que dependia dos pais.

> *Os pais sentem-se mais fracos*
> *que o filho, que se sente forte*
> *justamente pela impotência deles.*

Em todo tipo de assédio, o assediador se aproveita do silêncio da vítima. Dessa maneira, se sente protegido e estimulado a continuar o assédio. Se a vítima abrir o jogo, geralmente o assediador se recolhe – e não enfrenta quem o enfrenta. Fica assim evidente a sua covardia e falta de ética.Com o filho é a mesma coisa: enquanto os ânimos estiverem fervendo em casa, é bom que vá dormir na casa dos avós. E seus avós, cientes de tudo, também têm que falar com o jovem sobre seu comportamento de assediador moral.

NEGOCIAÇÃO INTERROMPIDA

Por que os pais de Tárcio estavam agüentando tudo calados? Porque havia uma recompensa não-saudável: a preservação da imagem do filho perante os outros. Ao abrir o "jogo do Tárcio" para os seus avós, os pais conseguiriam quebrar importantes mecanismos de manutenção do erro:

- o uso do silêncio da vítima para continuar o assédio;
- a tentativa de os pais mostrarem um filho melhor do que ele é;
- a responsabilidade por tudo o que filho faz;
- a sensação de impunidade do assediador;

E quando tudo se acalmar, está na hora de começar uma psicoterapia para recuperar os estragos que ele próprio provocou na sua personalidade.

NEGOCIAÇÃO ENTRE PAIS E GERAÇÃO CARONA

Finalmente o filho concluiu o terceiro grau. Já tem diploma universitário. Mas tem emprego? A grande maioria continua estudando para lutar e agarrar qualquer oportunidade de trabalho. Enquanto não consegue trabalho, onde fica esse adulto jovem? É mais uma etapa pela qual muitos estão passando: eles fazem parte da geração carona.

30 • ADOLESCENTES: QUEM AMA, EDUCA!

A geração carona está sentada sobre suas malas prontas, à espera da oportunidade de trabalho e de independência financeira. Enquanto espera, vive de carona na casa dos pais. Há caronistas que permanecem imaturos, mas há os que amadurecem, o que favorece inclusive suas colocações no mercado de trabalho.

AMOR MADURO ENTRE PAIS E FILHO ADULTO

É quando o filho atinge a autonomia comportamental e a independência financeira. Os pais e o filho mantêm uma excelente convivência porque se amam. Um atende o outro numa negociação na qual não se medem débitos nem créditos, porque é uma troca, porque essa é a prática da felicidade.

O **amor maduro** forma uma unidade funcional sem se perderem as individualidades. **O amor maduro** entre pais e filhos é uma dedicação mútua em que o companheirismo adulto torna-os parceiros que partilham, na vida e a felicidade, um forte vínculo afetivo.

Pais que não têm tempo

Há PAIS QUE, apesar de terem tempo, não conseguem tempo para os filhos; a maioria dos pais, porém, "sem tempo para nada" ainda consegue criar um tempo para os filhos, pois seres inteligentes administram o próprio tempo.

PAI SEM TEMPO PARA BRINCAR

Atualmente, pais e mães trabalham muito e acabam ficando a maior parte do tempo fora de casa. Sem outras saídas, sacrificam o tempo que eles gostariam de passar com os filhos. As horas de trabalho podem ser como as pedras fixas num dia e o relacionamento familiar, água que cabe em qualquer espaço. Sozinho no quarto, o filho se reúne com seus amigos pelo celular, MSN, blogs, orkut. Os pais poderiam usar os mesmos recursos para conviver virtualmente com seus filhos, aprendendo com eles mesmos como fazê-lo.

> *Temos que usar a tecnologia não*
> *só para o trabalho mas para melhorar*
> *a qualidade de vida familiar.*

O tempo de nossos ancestrais era gasto para caçar e não para o lazer. Não lembra um pouco os homens de hoje, responsáveis por trazer dinheiro para casa? Mas hoje ele não o faz sozinho, pois a sua companheira também vai à caça. Às vezes, a caça que a mulher traz é até maior que a dele.

MÃE SEM DIREITO DE SER MULHER

O papel da mãe evoluiu bastante, mas ainda traz muitos sofrimentos, mesmo que compensados ocasionalmente por muitas alegrias. A espécie humana não nasce pronta como as tartarugas. Os humanos levam muito tempo para amadurecer e sair pelo mundo afora sem depender dos pais. Se as mães não tivessem protegido seus filhos, mesmo pondo em risco sua própria vida, talvez eu não estivesse escrevendo aqui nem você estaria lendo, pois teria acabado a nossa espécie.

A mãe, antes protetora da vida, passou a usar a conversa para controlar seus filhos. "Onde você está?"; "Com quem?"; "O que você está fazendo?"; "Já comeu?"; "Já fez as lições?" – são perguntas que os filhos estão esgotados de ouvir, seja onde e como for.

Com tantas atividades simultâneas, historicamente, a mãe sempre foi uma polivalente contumaz. É um sofisticado estilo de onipotência e onipresença que a sacrifica. Mesmo trabalhando fora de casa, ela ainda se sente culpada por não estar com os filhos.

MÃE TRABALHANDO ATENDE TELEFONEMA DO FILHO

Qualquer homem ficaria espantado se percebesse como funciona o cérebro de uma mulher (mãe) no trabalho. Organiza o seu espaço, decora com flores e fotografias dos filhos a mesa e/ou locais de trabalho que mantém limpo, *nécessaire* de maquiagem na gaveta etc. Enquanto se concentra na sua atividade, está atenta aos movimentos das pessoas à sua volta, talvez nem prestando muita atenção às conversas colaterais, mas sem dúvida capaz de repetir tudo o que a colega falou, ainda preocupada com o andamento da casa e as atividades dos filhos. Muitas mães já viveram a situação a seguir:

De repente, toca o seu celular. A mãe já pressente que é o filho. Ela atende. Já sabe que ele vai se queixar de alguma coisa, pedir outra etc. Lá vem mais um problema para ela resolver.

— O quê? Vocês brigaram? — pergunta a mãe ao ouvir a queixa do filho caçula. Em seguida dá uma ordem:

— "Põe ele" no telefone! — e dá uma bronca e um castigo ao filho mais velho.

Depois de terminado o telefonema comenta com a amiga que nem pára para ouvi-la:

— Se não fosse eu, não sei o que seria desta família — diz, em tom de quem desabafa, mas no fundo com aquela satisfação íntima de ter resolvido um problema dos filhos.

Ocorre que, se os filhos não telefonassem tanto para ela, talvez resolvessem sozinhos os seus problemas. Parece que tudo é como essa mãe comenta, mas devemos considerar alguns pontos:

- será que de fato o mais velho bateu no caçula? Não seria uma invenção? Caçulas têm facilidade de verter copiosas lágrimas com o coração satisfeito por conseguir perturbar o mais velho.

- quem falou que o mais velho vai cumprir o castigo? Não há ninguém para verificar.
- será que o caçula agora vai apanhar de verdade? Quem o mandou ligar para a mãe?

Devo lembrar que a vida é dura principalmente para quem é mole. Se a mãe tolerar tudo, o filho vai construir seu futuro sem fibra, frágil, na esperança de que outras pessoas também sejam tolerantes como sua mãe. Na vida, todo mundo sabe, ninguém é mãe de ninguém, muito menos numa empresa multinacional, por exemplo.

PAI TRABALHANDO ATENDE TELEFONEMA DO FILHO

Muitos pais, auxiliados pelas suas mulheres trabalhando fora, começaram a dividir com elas a tarefa de cuidar dos filhos. Eles, entretanto, só vêem o que está à sua frente, isolando-se totalmente do barulho e bagunça à sua volta. Sua mesa de trabalho pode estar uma bagunça e não tem fotografias dos filhos nem flores. Nesse caso, atender um telefonema pode lhes custar uma perda de concentração, e não é raro pais passarem por esta situação:

Pai concentrado no seu foco de trabalho, de repente é surpreendido pelo toque do telefone. Enquanto estende a mão vai pensando "quem será?", "quem ficou de me telefonar neste horário?"; surpreende-se quando identifica seu filho caçula choramingando ao dizer que o Fulano bateu nele.

— O quê? Ele bateu em você? O que você fez para ele?

— Não fiz nada. Só porque mexi na televisão que ele nem estava assistindo...

— Escuta! Pára de chorar enquanto fala comigo! Por acaso, alguém morreu? — pergunta o pai, já irritado por ter sido interrompido no seu trabalho por uma briga de filhos. Isso é demais...

— Ainda não — responde o caçula, constrangido.

— Então, liga para a sua mãe! — ordena, e assim encerra o assunto, para continuar concentrado no trabalho que estava fazendo.

Ou seja, o pai funciona de modo muito diferente da mãe, porque ele resolve um assunto de cada vez. Primeiro quer saber de tudo, principalmente quem começou a briga. Acompanhando o raciocínio da pergunta "alguém morreu?", conclui-se que o homem vai direto ao ponto. Isto é, quem apanha é o que liga. Também se pode entender que o pai só pode ser incomodado em caso de morte. Se não houve morte, o caso é leve, a mãe resolve... Simples assim.

Entretanto, o pai poderia dizer para pararem com a briga; quando ele voltasse para casa, poderiam todos resolver civilizadamente essa pendência. Dessa maneira, os filhos exercitariam um dos mais importantes aprendizados: aprenderiam a controlar o imediatismo, a saber esperar, a ser tolerantes e a viver em condições adversas.

PIT STOP EDUCATIVO

Algumas corridas de *Fórmula 1* são vencidas não somente pelos pilotos mas nos seus *pit stops*. Na vida de um filho, os competentes atendimentos nos seus *pit stops* fazem imensa diferença na sua autoestima, e praticamente determinam se ele vai ser, ou não, um vencedor.

> Pit stop *é quando um filho*
> *pede algo para seus pais.*
> *Atender ao filho é ajudá-lo a*
> *se tornar mais independente.*

O atendimento educativo não tem idade e tem de ser muito competente. Portanto, pare, olhe nos olhos, escute, pense no melhor para a formação do filho e atenda. No *pit stop* educativo, é importante a distinção entre o que o filho é capaz de fazer sozinho e aquilo em que ele precisa realmente de ajuda. E, se precisar, deve-se pensar qual o tipo de ajuda que educa mais.

Há cuidados a tomar, entretanto: quando e se o filho pede, por comodidade, o que ele mesmo tem condições de fazer. No *pit stop* educativo, os pais têm de estar mais atentos a esse item, pois é na ação que se confirma a educação. O *pit stop* educativo é uma questão de hábito, assim como é o falar, o dirigir, o comer. Para pais que não têm tempo, esse atendimento, feito com eficiência, vai ser muito útil, pois filhos bem atendidos fazem cada vez menos *pit stops* para alimentar-se de educação. Com auto-estima e competência, o filho vai precisar cada vez menos do tempo dos pais para atender às próprias necessidades.

O DESPERTAR DO SEXO

Confusão pubertária: a inundação de hormônios

A CONFUSÃO PUBERTÁRIA é como o crescimento dos camarões. Quando esse crustáceo se desenvolve, apenas suas partes moles crescem. A pressão interna vai aumentando até o ponto de explosão, quando o camarão nasce de sua casca, que ficou apertada demais. Ele fica livre da casca que o oprimia, mas agora está em carne viva. O que faz o camarão? Rapidamente produz uma substância que cobrirá seu corpo para formar uma nova casca adequada ao seu novo tamanho. Se o pequeno camarão for mordido por algum inimigo enquanto estiver desprotegido, a nova casca vai se formar sobre a mordida, gravando para sempre aquele "trauma".

PÚBERE: CAMARÃO TROCANDO A CASCA

O púbere é como um camarão sem casca. Vive uma etapa muito delicada, talvez a mais vulnerável de todo o desenvolvimento humano. É nesse período que a criança perde o modo de ser infantil, mas ainda não tem nada para pôr no lugar. Despida de sua "casca" da infância, sente-se desamparada como nunca esteve antes. Os acontecimentos dessa etapa tendem a traumatizar mais do que os de qualquer outro período (separação dos pais, morte de uma pessoa querida, experiência sexual etc). Assim como a mordida no camarão, esses traumas podem ser mantidos até a vida adulta.

Com o pensamento em expansão, o confuso pubertário sente suas primeiras modificações corporais e tem sua percepção mais aguçada para tudo. O adolescente, nesse período, quer saber o porquê das coisas, persegue a relação entre causa e efeito e questiona.

O primeiro mecanismo que ele procurará desvendar são as ordens dos pais — que até então lhe pareciam aceitáveis e até esperadas. Um belo dia, a criança interpela os pais: "Por que eu devo fazer isso?"

A DESOBEDIÊNCIA

A maioria dos pais encara essa nova reação como mera desobediência. É um erro. Ao agir assim, os pais estão perdendo importante oportunidade de preparar os filhos para empreitadas da vida. É fácil para os pais exercerem sua autoridade sobre o filho criança, podando suas manifestações: "Vai fazer porque eu mandei e pronto".

Se as perguntas da "desobediência", em vez de ser encaradas como falta de educação, forem respondidas com o devido respeito humano – a quem quer apenas saber sobre o mundo –, cada vez mais a personalidade do adolescente vai querer trocar, dividir, dialogar sobre suas dificuldades ou qualidades. Seus relacionamentos tenderão a ser mais adequados e sua auto-estima, preservada.

As perguntas do filho podem, nesse momento, expor feridas que vinham sendo ocultadas e compensadas à custa, sabe-se lá, de quantos sofrimentos. Perante esses questionamentos, os pais podem se sentir tentados a calar a voz incômoda do filho com o poder. Ganhariam mais se devolvessem ao filho aquilo de que ele precisa: honestidade, respeito e ajuda.

HORMÔNIOS: DETERMINISMO BIOLÓGICO

Mas, afinal, por que acontecem essas mudanças? Tudo começa quando o relógio biológico dispara, anunciando que está na hora de a criança começar sua longa jornada em direção ao mundo adulto. Nas meninas, entre nove e dez anos. Nos meninos, entre onze e doze. É uma viagem programada pela natureza, que se vale de um poderoso instrumento para agir: os hormônios.

O hipotálamo é um grupo de núcleos situados na base do cérebro, bem no centro da cabeça. É ele que começa a produzir fatores de liberação para que a hipófise produza importantes hormônios de crescimento e amadurecimento físicos. A hipófise é uma pequenina glândula, bem protegida pelos ossos da base do crânio. Tem inúmeras e importantes funções: uma delas é produzir os hormônios responsáveis pelo crescimento e amadurecimento físicos.

Amadurecimento significa aquisição de novas funções que não existiam anteriormente. É o que acontece com os ovários, os testículos e mesmo o cérebro — pelo menos no que se refere à qualidade do pensamento. Geralmente o amadurecimento é acompanhado do crescimento físico, mas o inverso não é verdadeiro.

HORMÔNIO DE CRESCIMENTO

Justamente por isso há tantos descompassos na puberdade. Os jovens aumentam de tamanho antes de amadurecerem. São crianças grandes que, mesmo maiores que muitos adolescentes, não têm sua maturidade. Pode acontecer também o contrário: o jovem não crescer tanto quanto amadurece. São miúdos, mas funcionam como adolescentes. Vista de fora, aquela criança harmoniosa agora parece bastante desengonçada, como se a coluna não suportasse o novo peso dos pés e das mãos.

HORMÔNIOS SEXUAIS

E como está essa ex-criança por dentro? Os ovários e os testículos estão prestes a começar a produzir os hormônios sexuais, que, por sua vez, provocarão o surgimento das características sexuais secundárias.

Durante a infância, os sexos se diferenciavam pelos órgãos genitais internos e externos — compondo as características sexuais primárias. As secundárias são as demais diferenças, que só aparecem a partir da puberdade, ainda que tudo já esteja "planejado" geneticamente desde o momento em que aquele ser foi gerado. Nos homens, barba, pêlos no peito, voz grossa, ombros largos, quadril estreito. Nas mulheres, seios, voz feminina, ombros estreitos, quadris largos.

Internamente, os principais órgãos reprodutores também começam a sofrer alterações drásticas: a qualquer momento, deixarão de estar adormecidos e passarão a cumprir o papel a que sempre estiveram destinados: produzir óvulos e espermatozóides.

Na menina, essas mudanças têm início bem cedo, em torno dos nove anos. Quando tudo começa, parte dos hormônios liberados vai para os pés e as mãos e outra para o desenvolvimento dos ovários. Os seios começam a crescer, a menina pode ficar mais cheinha, prenunciando o arredondamento das formas do corpo.

Já os meninos terão de esperar: a inundação de hormônios só ocorrerá por volta dos onze anos, quando aparecerão os primeiros pêlos no púbis, comemorados efusivamente pelo jovem homenzinho, a despeito de, à primeira vista, não passarem de uma leve penugem...

DESENVOLVIMENTO DOS SEIOS

Mais do que a gordura, porém, o que realmente preocupa à púbere é o crescimento dos seios. É o sinal mais visível de seu desenvolvimento sexual, que será inevitavelmente medido e comparado com os das amigas. Ela observa se os dois seios são simétricos, se têm a mesma forma e volume – tudo para saber se são "normais".

Como o tempo de surgimento dos seios varia de um a vários anos, a demora pode ser angustiante. Se ela considerar seus seios muito maiores ou menores do que deveriam — o que muitas vezes se baseia em simples gozações de amigas e meninos —, poderá se sentir infeliz e rejeitada. Entretanto, é mais comum as púberes encararem com naturalidade o crescimento de seus seios do que se sentirem desvalorizadas.

Símbolo dessa passagem, o primeiro sutiã é realmente muito importante. É um momento de reaproximação com a sua mãe, de quem se havia distanciado havia algum tempo, ou de aproximação com tias, irmãs ou amigas mais velhas. Ocorre uma intensa troca de informações, que começam no sutiã e desembocam em assuntos mais íntimos.

A melhor atitude dos pais nessa fase é tentar diminuir a tensão por que ela pode estar passando. Broncas por causa das roupas folgadas ou "indecentes" só tendem a maltratar uma auto-estima já bastante frágil. Seria bem mais adequado se os pais, entendendo a transitoriedade dessa fase, se mostrassem abertos a ajudá-la no que ela pedisse, prontos para um diálogo esclarecedor.

Embora tenham a mesma idade que os meninos, as meninas nessa idade são muito mais "atrevidas". Preparam festas como se fossem adolescentes, cuidando da iluminação, do som, do afastamento dos adultos etc. Observar a filha tão pequena (oito ou nove anos) em atitudes adultas costuma orgulhar e divertir os pais, que chegam a encorajar as festinhas, pois ainda não há perigo de nada sério acontecer.

Mas há um outro risco: atropelar a infância da menina, oferecendo uma sexualidade precoce.

DESENVOLVIMENTO DOS TESTÍCULOS

Na época da confusão pubertária, os testículos começam a "desgrudar" do corpo, onde estavam presos como duas jabuticabas, e fazer com que a bolsa escrotal desça, fique realmente pendurada. Isso acontece porque os testículos, para funcionar corretamente, precisam de uma temperatura um pouco menor do que a corporal. O pênis, porém, ainda não mudou de tamanho ou forma. Esse dado pode gerar no púbere ansiedades, angústia e até mesmo desencadear uma crise de identidade sexual. Das modificações corporais sexuais, a que o jovem mais valoriza é o crescimento do pênis. Daí o fato de acompanhar o seu desenvolvimento a cada dia, o que é facilitado pela condição anatômica de um órgão totalmente visível, manipulável e mensurável. Mas percebe um descompasso no crescimento:

mãos e testículos ganham volume, não o pênis, o que dá a impressão de que este "encolheu".

Por isso, aproximar-se das meninas torna-se um duplo desafio, já que precisa superar suas dificuldades e enfrentar a possibilidade de ser rejeitado por elas, que aliás já estão interessadas nos rapazes mais velhos.

PRAZER SEXUAL

O prazer sexual é descoberto no final da confusão pubertária, tanto em meninos quanto em meninas. Em geral, elas o descobrem casualmente, quando algo roça sua genitália ou até mesmo os seios (pode ser a própria mão no banho ou o contato com roupas), e a menina experimenta uma sensação física que ainda não conhecia. Outras vezes é voluntária, quando ela manipula diversas áreas do corpo até descobrir as zonas erógenas e chegar à excitação sexual. Isso ocorre principalmente friccionando o clitóris para chegar ao orgasmo. Raramente a menina se masturbará por lembrança de situações afetivo-sexuais, pois sua vida sexual ainda é praticamente nula.

Já os meninos correm atrás da excitação sexual. A masturbação já representa para ele um mundo novo –, que pode ser estimulante ou assustadora conforme o tipo de cultura sexual, repressiva ou não.

Em todo caso, com o pênis do mesmo tamanho e sem ganhar altura, nos meninos o pensamento parece sofrer mais transformações do que o corpo. No Brasil, se o menino nunca repetiu de ano, estará na sexta série do Ensino Fundamental aos onze anos, o que significa uma mudança ambiental considerável num período em que ele está particularmente vulnerável: seu ponto mais frágil é a parte mental porque, em todo o organismo, é esse o aspecto que sofre maiores modificações.

A sexta série marca uma grande mudança psicopedagógica em relação ao ano anterior. A infância ficou repentinamente lá atrás, na quinta série. Ele pode adquirir uma tendência a se desconcentrar, perder a organização mental e ter dificuldade de gravar as coisas que aprende na escola. Além disso, é tomado por um irresistível impulso de incomodar os outros, que alterna com momentos de absoluta distração. O confuso pubertário não se ocupa apenas em incomodar os adultos, mas também gente da sua idade, principalmente do sexo oposto.

Como já foi dito, as fases da adolescência ocorrem em idades diferentes nos meninos e nas meninas. Mas a sociedade, a escola e a família tendem a uni-los justamente por faixa etária. As conseqüências são visíveis. Com a mesma idade, a menina está mais amadurecida do que o menino, um descompasso que vai se estender por toda a adolescência. O resultado é que são obrigadas, pelas circunstâncias, a conviver com aqueles "baixinhos bobos". Geralmente não vêem nenhuma graça nos meninos, embora possam achar um ou outro bonitinho. Mas não passa disso, pois "são muito crianças".

Os meninos, por sua vez, acham que as meninas não passam de umas "exibidas que ficam dando em cima dos caras mais velhos", e muitos ainda estão tão infantilizados que reclamam delas para seus pais, sofrem profundamente a rejeição, mas continuam abordando-as para ver se conseguem delas "alguma coisa" (que eles nem sabem o que é).

Os pais de meninos dessa idade que tenham curiosidade sobre sua vida "sentimental" devem aproveitar enquanto é tempo. Dentro de dois anos, quando ingressarem na onipotência, seus filhos não dirão mais uma única palavra sobre o assunto, nem sob tortura.

Na confusão pubertária, portanto, o que vale mesmo é o clube do Bolinha e o clube da Luluzinha. Púberes do mesmo sexo ajudam-se mutuamente, comemoram juntos as vitórias e lamentam os fracassos de sua turma.

ANTES DISSO: OS VALORES DENTRO DA FAMÍLIA

Numa família dos mais variados formatos, ao jovem já são transmitidos, com toda a naturalidade, algumas idéias do funcionamento da mulher e do homem, ou seja, as diferenças entre os sexos — informação indispensável para que essa criança sobreviva no mundo social após a adolescência.

Essas mensagens não são necessariamente verbais. Passam por detalhes importantes, como o lugar onde o pai senta, o que a mãe fala, o que a mãe serve ao pai, o que o pai faz, o fato de o pai não ser incomodado ao descansar. No convívio, reconhece-se o gênero masculino e o gênero feminino. A criança recebe toda a informação sobre o comportamento do homem e da mulher.

É nesse útero familiar que se transmitem os valores de masculinidade e de feminilidade. Se for homem, vai ser tratado de um determinado jeito, e observa o pai e a mãe se relacionando. Se for menina, acontecerá a mesma coisa. Ela também aprende observando os comportamentos.

Antes mesmo de a criança ter consciência da sua sexualidade, pais zelosos já não deixam a menina ficar nua, exposta. Desde criancinha, já a cobrem com fraldas, calcinhas. Ela não passa pelo período "sem calcinha". O menino é tratado ao contrário, pois bebês do sexo masculino urinam com muita freqüência. Cada vez que se mexe neles, eles fazem xixi. Muitos pais tiram fotos dos bebês urinando, o jato focalizado na foto, mas dificilmente vemos fotografias de uma menina fazendo xixi.

Obviamente, existem diferenças anatômicas, mas a maior diferença está na postura dos pais, que tratam de maneira muito diversa meninos e meninas. Ora, as crianças bem pequenas não se preocupam muito com a sexualidade. Elas estão na fase da socialização elementar e querem apenas se conhecer. Os problemas começam a surgir mais tarde, e tanto ocorrem com pais tidos como "abertos e modernos" quanto com os mais tradicionais e rígidos.

Vamos supor, por exemplo, que os pais tenham o costume de tomar banho juntos e, em nome da "modernidade", decidam incluir os filhos. Se o pai fica pouco à vontade perante os filhos, devido à possibilidade de ter uma ereção involuntária, simplesmente não deveria tomar banho junto com os filhos. Por que favorecer uma situação com a qual certamente ele não saberá lidar?

Outros pais, que se consideram "modernos", acham que não tem nada demais a menina ficar mexendo em seu pênis. Alegam que se trata apenas de anatomia. Esses pais cometem um equívoco tão grande quanto esconder a existência do pênis, pois sua atitude pode apressar na menina uma sexualidade de forma indevida, pouco saudável para o seu desenvolvimento. Se a menina ficar mexendo, brincando, apalpando e socando o pênis do pai, estará aprendendo a fazer o mesmo com o de todo mundo. E então, como fica?

Por outro lado, é comum os pais mais tradicionais se incomodarem quando a criança tem atitudes com aparente conotação sexual. Por exemplo, quando o menino ou a menina manipula seus genitais. Nesse caso, antes de pensar em dar um tapa na mão da criança, é importante investigar. Às vezes há alguma irritação na pele, falta de higiene ou qualquer outra condição física que cause coceira.

Como a criança poderá entender que é proibido se coçar? Aos pais apavorados com a hipótese de ver sua princesinha se masturbando, um lembrete: é muito raro uma criança se masturbar. Raríssimo. Ela tem tantas outras coisas para fazer, e seu estímulo erótico é tão tênue que, se dá atenção para isso, é porque teve de anular muitos aspectos em sua vidinha.

Portanto, quando se pensa que uma criança se masturba, em geral é apenas manipulação, por outro motivo, porque ela não tem ainda impulso para o orgasmo, que, aliás, exige uma estrutura anatômica propícia que seu corpo ainda não desenvolveu. Ela pode ter no máximo um tique masturbatório: ficar mexendo, como mexe na orelha ou chupa o dedo.

Como evitar atropelos

O DESPERTAR DO SEXO nos adolescentes segue um curso e um ritmo naturais, determinados biologicamente e acompanhados psicologicamente. Nem sempre, porém, esse ritmo é respeitado pelos pais ou pelos próprios jovens. Assim, pais que se adiantam em explicações antes do tempo podem ser tão prejudiciais a esse desenvolvimento quanto os que se omitem, deixando o barco correr.

HÁ PAIS QUE ATROPELAM OS FILHOS

Pais extremamente preocupados em dar uma boa educação sexual podem estar tão envolvidos nessa tarefa que não percebem inadequações. Basta uma simples menção sexual por parte do filho para que eles ministrem verdadeiras aulas de anatomia e comportamento. Muitas vezes, essas perguntas não têm esse objetivo, mas, como os pais estão atentos a tudo o que se refere a sexo, já acham que esse é o "momento sagrado".

Os filhos às vezes nem têm interesse sexual, é mera curiosidade acerca de uma palavra que ouviram em algum lugar. Mesmo assim, acabam ouvindo preleções, conceitos morais e um blá-blá-blá interminável. Nesses casos, o interesse do filho acaba muito antes do discurso do pai.

Por exemplo, quando surge a pergunta clássica "Como nascem os bebês?" —, é preciso identificar o que responder. Conforme a idade de quem faz a pergunta, há um tipo de curiosidade e certa capacidade de assimilar a resposta. Às vezes, os pais se apressam em dizer que o papai colocou uma sementinha etc. Ou seja, à pergunta de como os bebês *nascem*, respondem *como são feitos*. Introduzem palavras e conceitos novos para responder algo que não foi perguntado.

Mais tarde, já perto da adolescência, basta a menina se interessar por um rapaz para a mãe encher sua cabeça com os perigos de gravidez e doenças venéreas, além de um discurso sobre a "má fama" da mulher.

Se o menino se interessa por uma garota que o pai, usando uma duvidosa prática, considera fácil, este corre a ter uma conversa particular, longe da mãe, para estimular o filho a "avançar". E tudo não passaria de um menino tímido vivendo um romance com uma garota extrovertida.

Em suposta boa intenção, pais
podem mais atrapalhar do que ajudar.

A melhor dica para esses pais afoitos é que esperem os filhos perguntar e só respondam o que for perguntado, respeitando o repertório próprio de cada idade. Caso contrário, acharão que qualquer sinal é uma grande oportunidade para cumprir sua missão de educar os filhos.

FILHOS QUE NADA PERGUNTAM

Filhos que nada perguntam podem ser frutos de uma educação muito rígida. Nada perguntam sobre sexo, nem sobre outras dificuldades. Se os filhos nada perguntam, é porque talvez não se sintam à vontade.

Vale a pena uma reflexão dos pais. Será que são perfeccionistas e tudo tem de andar corretamente? Será que percebem realmente quais são as necessidades dos filhos?

A vantagem de os pais serem abertos ao diálogo é que os filhos contam seus segredos e se abrem para perguntar sobre as questões sexuais.

Mesmo assim, há etapas em que naturalmente ocorre o silêncio. É o caso da onipotência pubertária, na qual os filhos raramente se abrem sobre sua sexualidade. Esses períodos têm de ser respeitados.

O DIÁLOGO SEXUAL SAUDÁVEL

Como qualquer diálogo, o sexual envolve saber falar e saber ouvir. Estar preparado para o diálogo significa estar aberto para modificar seu próprio ponto de vista. A clareza é fundamental. Os subentendidos em geral são mal-entendidos, pois cada um os preenche conforme suas próprias vivências, dificuldades e indagações.

É sempre interessante que o pai não faça introduções para responder, mas atinja o âmago da pergunta o mais rapidamente possível, antes que o filho se desinteresse. O melhor guia para o pai saber se a sua conversa surte efeito é perguntar o que o filho achou do que foi dito. Não é raro que o filho já saiba pelo menos algumas respostas sobre a pergunta que ele fez.

Outra dica valiosa: dificilmente um diálogo é aproveitável quando há constrangimento de quem fala ou de quem ouve. Se aparecer qualquer desconforto na conversa porque o assunto é sexo, a melhor saída é reconhecer o constrangimento. Fazer isso é muito melhor do que tentar camuflá-lo.

Há adolescentes que primeiro precisam falar para poder ouvir. É como se precisassem falar para "esvaziar" a cabeça e poder receber novas informações. Tão preocupados estão com as suas próprias coisas, que não têm energia suficiente para assimilar mais informações.

O clima afetivo, o bom humor, a verdade e a entrega garantem um bom diálogo. O amor se encarrega do resto.

CON VERSAS

O EXECUTIVO & SUA FAMÍLIA

Conhecendo o filho pequeno

O CARINHO DO ABRAÇO FICA

Talvez o pai ache que sua figura não é importante para o recém-nascido. Grande engano! Os bebês reagem bem à mãe porque ela fornece o alimento. Você, pai, será importante não por amamentá-lo, mas sim por tocá-lo e conversar com ele, pois o recém-nascido aprende pelas sensações.

O grande diálogo do pai com o bebê é o colo, porque o recém-nascido só se oferece para ser abraçado, ainda não pode abraçar. E, se você pegá-lo sempre que estiver por perto, dentro dele ficará registrada a gostosa sensação de seu abraço.

Não é porque o bebê de um mês "não reage" que ele não está recebendo o carinho. Pais executivos geralmente esperam eficiência. Para cada estímulo tem de haver uma resposta. Mas eficiência para um bebê é algo impensável, uma vez que ele se rege pelos próprios princípios do desenvolvimento biológico.

Apesar de o pai ser biologicamente diferente da mãe, o bebê precisa do carinho físico e do colo dele para sua saúde psíquica.

Assim, você deve pegar o bebê no colo para que ele registre o carinho do abraço e grave sua imagem dentro dele. O melhor é falar também, para que ele guarde, além do carinho, a voz do pai.

A participação do pai deve começar efetivamente depois que a criança nasce. Durante a gravidez não está comprovada a importância da figura paterna. Seu filho vai crescer com ou sem a sua presença, mas é psicologicamente fundamental estabelecer um equilíbrio masculino-feminino dentro dele.

POR QUE CHORAM TANTO?

Você não precisa ficar apavorado toda vez que o bebê cai no choro. Como a criança não sabe falar e não identifica a causa de seu sofrimento, manifesta o desconforto através do choro. Pode ser fome, sono, fralda suja, dor de barriga, frio, calor...

Dará um grande passo a favor do relacionamento aquele pai que tentar entender o choro, sem passar o bebê logo para a mãe.

Alguns homens só começam a se relacionar com os filhos quando eles já falam e reagem ou então na adolescência, quando passam a encará-los como adultos, com os quais podem conversar. O único meio de comunicação que tais pais aceitam é o verbal. Provavelmente, o adolescente assim criado não terá a figura do pai internalizada. E, depois, será tarde. Por isso, não vale a pena esperar.

Como nem todos os capítulos da vida dos filhos lhes parecem envolventes, há pais que se desinteressam pelo desenrolar da novela e logo a abandonam. Nesses casos, todos saem perdendo: eles e os filhos. O relacionamento pai/filho não existe por hormônios. Ele é criado.

Não adianta ficar morrendo de inveja da mãe, que se relaciona com o filho desde o útero. É você que tem de se mexer!

MAS QUE SUJEIRA!

A criança começa a querer comer sozinha antes de ter coordenação motora para comer como um adulto. Resultado: muita comida espalhada pelo chão, pela roupa e até no cabelo. E boa parte dos pais executivos tem nojo de comida fora do prato. Acaba se irritando tanto que a mãe, ou ele próprio, decide, para o bem da família, que é melhor servir primeiro a criança, depois os adultos se alimentam.

Essa não é uma boa solução. A melhor maneira de educar o filho a comer direito é fazê-lo participar das refeições em família. O pai deve comer na frente dele para ensiná-lo a se comportar à mesa. Comendo juntos, você deve estabelecer um clima gostoso, sem discutir problemas pessoais e gerais durante a refeição, mas também sem fazer clima de festa. Senão, a criança não come.

> *Crianças que participam
> das refeições dos adultos
> aprendem a compor a
> família com eles.*

E o que fazer diante daquela sujeira toda? Você não deve se irritar, muito menos sorrir. Tenha um pouco de paciência. Esparramar comida é falta de coordenação. Porém, atenção: jogar comida, não! (Aí, no caso, é hora de intervir, de ficar sério).

Se você for um daqueles pais que não agüentam ver a porcaria que a criança faz para comer e se reservam o direito de comer em outro horário ou local, não terá o direito de reclamar quando, futuramente, seu filho adolescente quiser comer sozinho no quarto dele, dispensando o jantar servido para toda família. Sabe qual é a maior reclamação dos pais de adolescentes? "Meu filho nunca vem jantar com a gente, vive enfurnado no quarto..."

A BASE DA EDUCAÇÃO

Aquele filho dócil e companheiro, lá pelos 2 ou 3 anos, cede lugar a uma criança rebelde e cheia de vontades. É a fase da birra e do bico ("tromba"). A mãe não se surpreende muito com a mudança, pois está sempre mais perto. Quem toma um susto é o pai, como se o filho tivesse mudado de uma hora para outra. E os conflitos aparecem quando os filhos começam, aparentemente por vontade própria, a contrariar os pais. Estes se irritam e vão se cansando da criança.

Seu filho precisa de um pai do jeito que você é, mas capaz de entender a fase que ele está atravessando. Nem sempre a criança desobedece ao pai com a intenção de enfrentá-lo. Às vezes o pai se sente desrespeitado porque o filho tem vontades diferentes da sua e exige: "Você vai fazer isto e pronto".

Eis o começo da brecha no relacionamento pai/filho: autoritarismo e abuso de poder. Desastroso é ver que sua atitude com o filho é a mesma que seu próprio pai tomou com você: abuso de autoridade de um chefe usando a força, às vezes sem benefício para ninguém.

Digo sempre: educar dá trabalho. Às vezes é mais fácil impor sua vontade ou deixar a criança fazer tudo o que quer. Só que o caminho de menor sofrimento em determinada hora pode, mais tarde, custar muito caro. Se você ensinar seu filho a fazer acordos, estará, de fato, preparando-o para a vida.

Um aprendizado eficaz requer coerência, constância e conseqüência.

Um dos principais motivos para que a falta de coerência, constância e conseqüência acontecesse na família foi a bagunça que se fez com o valor do *não*. Atualmente as famílias beiram a anarquia quando há filhos adolescentes. Como o "aborrecente" não se forma da noite para o dia, é preciso prevenir enquanto eles são "crionças" (crianças-onças), mesmo que sejam adoráveis.

APRENDIZADO CONSEQÜENTE

Uma criança aprende rapidamente a não enfiar um grampo de cabelo numa tomada elétrica. Primeiro, porque leva um choque, que não é agradável nem para um adulto. Segundo, porque a tomada vai dar sempre a mesma descarga cada vez que for acionada.

Uma criança sente enorme prazer em se desenvolver, em conseguir realizar coisas. Cada vez que consegue, comemora com grande alegria. Assim como pega uma caneta e quer rabiscar, quando pega um objeto, como um grampo, ela quer encaixá-lo em qualquer buraco que apareça pela frente. Fica contente quando é bem-sucedida. Isso é natural numa fase do desenvolvimento. O que não é natural é levar um choque elétrico. Portanto, a criança tem de lutar contra a vontade de enfiar o grampo na tomada. Enfiou? Tomou choque. Tenta enfiar outra vez? Outro choque de igual intensidade. Não enfia mais. Aprendeu que na tomada ela não pode enfiar o grampo.

O choque é um castigo? Não. O choque não é castigo, mas sim conseqüência direta de seu gesto. É a natureza ensinando pelo sofrimento e pela constância da resposta. Ter noção de conseqüência é fundamental. Se faz mal, a conseqüência é ruim; se faz bem, a conseqüência é boa.

A vida naturalmente nos devolve o que lhe fazemos, mais cedo ou mais tarde. Assim também são os relacionamentos humanos. Se você agride seu filho quando ele ainda não tem condições de reagir, no futuro, provavelmente, ele vai lhe devolver tudo o que precisou engolir. Essa devolução é uma conseqüência, não um castigo, e geralmente começa na adolescência.

A punição exige sempre um castigador. Nessa figura pode estar embutido o autoritarismo. O que resolve não é uma simples supressão da palavra castigo, mas trabalhar todo um redimensionamento das relações.

Entra em lugar do chefe punidor a figura do líder que exige, de quem cobra o que foi combinado. Quando você contrata algum serviço para sua empresa, o não cumprimento deste prevê conseqüências, e não castigo.

Se sistematicamente você pede algo a seu filho e ele não o faz, não adianta ficar bravo com ele nem insistir, pois é pouco provável que mude de atitude. Isto é, cada vez que pede, está agindo da mesma maneira e, portanto, vai obter sempre o mesmo resultado...

Cansou de pedir? Está na hora de combinar, de firmar com ele aquilo que no trabalho você chama de contrato e suas conseqüências.

*Estabelecer uma conseqüência
que possa ser cumprida
por ambos é fundamental.*

O que é combinado de comum acordo não é caro nem barato demais. É simplesmente cumprir o combinado. Mais uma vez se nota a importância da composição dos pais na determinação da conseqüência a ser adotada.

Se você e sua esposa não forem capazes de chegar a um consenso, estarão ensinando seu filho também a não compor com vocês. Cada um faz o que quer. E a convivência torna-se impossível. Por isso, para o bem de seu filho, você e a mãe dele devem determinar com clareza responsabilidades, deveres, direitos e limites a ser cumpridos.

INVERTENDO O JOGO DA BIRRA

É fácil identificar quem é a mãe de uma criança que está "birrando" num restaurante. Fica vermelha, sem jeito, toda desconcertada, dando indiretas ao filho ("Lá em casa você vai ver"). Ou seja, quem passa vergonha é a mãe. Já o pai disfarça, finge que não é com ele ou o arrasta de lá pelo cangote.

*A birra é o poder do filho
pequeno, assim como a "tromba"
pode ser o da mulher e a
"explosão" o do homem.*

Criança que "birra" mede forças. Gritando, esperneando e sacudindo a cabeça, ela espera conseguir o que quer. Esse comportamento surge naquela que está acostumada a ser atendida bem mais que o necessário e cuja vontade não conhece limites. Cada vez que a criança consegue o que deseja fazendo birra, essa arma fica mais poderosa.

Durante a birra, o pai e a mãe não podem fazer acordo. Acordo se faz com palavras. Birra é uma ação. Quem está agindo não escuta. Logo, é perda de tempo tentar dissuadir seu filho com palavras. O melhor é se levantar e ir embora. O temor do filho de ser abandonado é maior do que o de ficar sem o que quer. Por isso, ele tende a parar com a birra e ir atrás de você.

Palavra contra palavra,
ação contra ação.
Não adianta falar com
quem está fazendo birra.

Você, pai, não pode se ausentar na hora da birra, deixando sua esposa na fogueira. Em geral, o problema não atinge você diretamente: as birras na infância são contra a mãe; só na adolescência é que se voltam contra o pai. Mesmo assim, você tem de interferir e tomar uma atitude. Pode ser você a inverter o jogo. Seja, portanto, qual for o problema, não adie a solução.

Como executivo, você se preocupa com resultados. Por isso, talvez já esteja até se questionando se sua criança (ou "crionça") poderá vir a ser um "aborrecente" ou mais um adolescente perdido na vida. Não adianta passar mal agora, prevendo um futuro negro, nem ficar tranqüilo, pensando que no futuro tudo acabará entrando nos eixos.

Porque, se existe um problema — por menor que seja —, está fazendo alguém sofrer. E não dá para ficar calado diante do sofrimento de alguém que a gente ama.

> *Problemas de crianças não*
> *resolvidos na infância tendem*
> *a piorar na adolescência.*
> *Aí, os incômodos serão bem maiores.*

SEU FILHO CRESCE, E AÍ?

Muitos pais medem o desenvolvimento do filho pelo rendimento escolar, como se essa fosse a única maneira de avaliá-lo. Deixam passar em branco outras questões até mais importantes. Sua preocupação principal é com as notas.

Estudar dá trabalho, pois exige dedicação e esforço. É um tipo de trabalho. Pode dar prazer, mas a rotina é pesada. Se o filho foi ensinado a não trabalhar (quando era criancinha não arrumava as próprias coisas...), provavelmente não vai querer estudar.

CONVERSAS COM IÇAMITIBA

Se o filho tira notas altas e é atrevido, os pais ficam impotentes. Parece até que "quem tira nota boa pode maltratar todo mundo". Porque nota escolar é como dinheiro da atual profissão de estudante. Ora, quem ofereceu essa arma ao filho foi o próprio pai, que valorizou demais a nota. Sem contar os mais permissivos (ou desanimados, ou...), que nem nota exigem, basta ao filho ou filha passar de ano.

Numa família em que notas baixas são armas dos pais, e altas, dos filhos, a qualidade de vida está ruim, já que o que vale são as armas, e não mais as pessoas.

O PAI E A ESCOLA

Talvez você ache desgastante ficar acompanhando o dia-a-dia dos filhos na escola. Quando as crianças eram pequenas, você ainda se esforçou para estar presente. Aliás, é curioso observar que, na pré-escola, tanto o pai quanto a mãe participam das reuniões escolares. Da sexta série em diante, a mãe vai sozinha. Até que, no colegial, também ela some. O pai só volta a aparecer na época do cursinho, acompanhado da mãe.

Se você acha que acompanhar filhos na escola é trabalho da mãe (sua mãe fazia isso, não seu pai), está errado. Isso reflete o que acontece dentro de casa. A cada aniversário do filho, o pai vai tirando o time de campo e só volta a atuar quando chega o momento de fazer escolhas profissionais. Ou seja, o pai participa apenas das grandes decisões.

O pai deixa a tarefa "menor" para a mulher e vai minimizando os prejuízos da repetência escolar. Engole em seco a frustração de ver o filho indo por um caminho muito diferente daquele com que sonhou. Sofre uma tremenda decepção, como tantas outras que já engoliu...

UM FUNCIONÁRIO QUE NÃO RENDE

Se um funcionário ao qual você ou seu patrão paga um bom salário produz menos que o combinado, o que você faz? Provavelmente se reúne com ele, chama-lhe a atenção, vê o que está acontecendo. Depois de descobrir o motivo do baixo rendimento, você talvez dê a ele algumas orientações e a oportunidade de corrigir sua atuação. Se ainda assim não resolver, irá despedi-lo.

Se você vive essa lógica no trabalho, por que continua pagando um salário tão alto a um filho que não produz nada? E ainda se diz amigo dele. Pensando bem, você seria amigo de quem tira dinheiro de sua carteira, bate seu carro e ofende sua mulher – situações possíveis dentro de casa? E, se seus funcionários fazem o que querem, como os filhos não vão fazer?

Então, saiba que nota baixa de filho intelectualmente normal representa problemas, do indivíduo ou da família, que precisam ser identificados. Você não pode despedir um filho, mas deve se reunir com ele, sim, ensinar valores e analisar o motivo do baixo rendimento.

DESINTERESSE PELO TRABALHO DO PAI

A eficiência é produto de um sistema de trocas entre as pessoas. Muitos pais não trocam nada, mas dão tudo. Permitem, inclusive, que a criança mude de escola, sem avaliar a fundo a situação. Interessa ao filho receber o sustento do pai, mas sem oferecer o retorno que o pai espera: bom rendimento escolar, educação.

Um dos mais sérios problemas decorrentes dessa via de mão única (o pai dá tudo e não exige nada) é que o filho não se interessa pelo trabalho do pai. Essa falta de interesse não é responsabilidade unicamente do filho. Você, pai, tem grande parcela de culpa. Quer ver? Como você se refere ao trabalho quando está em casa?

A maioria dos pais tem o hábito de mostrar quanto custa ganhar dinheiro e como o trabalho é sacrificado, queixando-se da montanha de problemas que tem de enfrentar na empresa. Esses pais (e mães!) chegam invariavelmente cansados, trazendo relatórios para terminar em casa. Como o filho pode gostar de um trabalho que desgasta tanto seus pais, especialmente se foi criado mais para brincar que trabalhar?

CONVERSAS COM IÇAMI TIBA

Não adianta vencer na profissão e construir um grande "patrimônio para o filho" se você não o preparar para recebê-lo. É como dar um carro a quem não sabe dirigir ou dirige sem responsabilidade: não o valoriza, maltrata, bate. Se acontecer qualquer problema, ele sabe que ganha outro novo ou pega o da mãe emprestado.

Pai, em vez de se lamentar, mude sua ótica sobre seu próprio trabalho. Comece a falar das coisas boas, da satisfação, do gosto de concluir uma tarefa bem-feita. Leve seu filho para curtir uma viagem, mostre sua sala, apresente seus colegas de trabalho... — deixe-o sentir como o ambiente é bom! Venda-lhe a idéia de que seu trabalho é gratificante.

Se o pai traz para casa um dinheiro sofrido e chorado, o filho aprende que não vale a pena trabalhar tanto. Não é à toa que ele começa a pensar em ter uma pousada na praia. Só que não vai saber avaliar a diferença entre ser hóspede e proprietário da pousada. E não imagina que é necessário acordar cedo na praia para preparar o café-da-manhã dos hóspedes.

Se você mostrar o prazer
que dá trabalhar e ganhar dinheiro,
seu filho certamente vai
querer ajudá-lo também.

O QUE VOCÊ FAZ COM UM CLIENTE
OU UM VENDEDOR MAL-EDUCADO?

Ele paga direito, no prazo certo, tem bons conhecimentos do ramo, mas maltrata você ou seus funcionários e não respeita as normas da casa. Você o suporta enquanto for preciso. Assim que surgir alguém para substituí-lo, fará isso.

Mas os filhos são para sempre, não dá para substituí-los. Portanto, o melhor remédio é o exercício do bom relacionamento com eles. Não no aspecto meramente formal do "com licença", "obrigado", "por favor". Mas respeitando seu filho e ensinando-o a respeitar, de fato, as pessoas com as quais convive e a compor com elas. Seja educado todos os dias, e ele também será. É assim que ele adquire um critério para poder relacionar-se com os amigos.

Se você deixa seu filho ter um
comportamento inadequado,
que não admite em outras pessoas,
está estimulando a delinqüência.

USO DE DROGAS

A maconha é a primeira das drogas ilícitas. Tudo deve ter começado antes, com o cigarro. Famílias que têm fumantes — pais, tios ou outros parentes — podem estar aliciando os menores a fumar, criando dentro das crianças uma admiração pelo gestual que acompanha o cigarro.

O que educa não é só a palavra, a lição de moral, mas também os comportamentos no meio em que se vive. Um pai que fuma cigarros, sabendo o mal que faz, pode estar oferecendo ao adolescente o melhor argumento para que ele use maconha. Porque, apesar de falsa, é muito comum a afirmação de que a maconha faz menos mal que o cigarro.

Muitas vezes, a maconha é introduzida na família, mesmo numa "bem constituída", por curiosidade, especialmente se essa família não incluiu a ética em seu bem-viver. Porque, tendo ética, um adolescente não vai prejudicar a si próprio nem àqueles que ama.

A prevenção é o melhor
remédio contra as drogas.

COMO O EMPRESÁRIO LIDA COM O ABUSO DE ÁLCOOL E DROGAS?

Ele afasta o funcionário do trabalho e o inscreve num programa de tratamento. Caso não se recupere, estará fora da empresa, já não serve para o emprego. O pai não pode fazer o mesmo em casa, porque, com o filho, é ele o elemento que vai garantir a seqüência do tratamento.

Pouco importa quão eficientes na profissão sejam os pais de usuários de drogas. Minha experiência mostra que, em geral, eles não representam valor nenhum para o filho. São omissos ou muito cobradores, mas nunca figuras de proteção.

Carentes de protetores familiares, os dependentes de drogas não possuem mecanismos de defesa fortes o bastante e acabam presa fácil de promessas de prazer e poder.

Não se iluda achando que só acontece na família dos outros. Uma educação que transmite valores éticos preserva o filho das drogas.

> *Pais omissos têm*
> *maiores chances de*
> *possuir um filho drogado*
> *do que pais presentes.*

Os filhos adolescentes experimentam drogas em grupo, movidos pela embriaguez relacional. Seus critérios pessoais, tudo o que aprenderam dos pais e da escola, até mesmo o instinto de auto-preservação, desaparecem. A grande diferença entre a experimentação da droga e outros maus comportamentos é que a droga distorce a personalidade e quebra o código de ética.

Quando os filhos são pequenos, os pais lhes dizem que cigarro e drogas fazem mal. As crianças não só acreditam como fazem careta cada vez que ouvem falar no assunto. Isto, porque os filhos pequenos obedecem aos pais, absorvem seus pontos de vista.

Com o desenvolvimento, o adolescente começa a focalizar o outro lado, que os pais não mostravam: o prazer da droga. Se não o prazer físico, o psicológico, de identificação com o conteúdo dos comerciais, de se sentir bem com o ritual de carregar o copo de cerveja ou ter um cigarro na mão em festinhas ou outras situações embaraçosas.

Os filhos não contam nada disso para os pais. Não dizem que fumaram um cigarro nem que tomaram uma bebida. Há alguns adolescentes que, ao serem questionados, respondem: "Eu fumei, sim!" Mas são exceção. A maioria receia desobedecer aos pais e acaba mentindo.

O mesmo acontece quando o jovem experimenta drogas. O adolescente fuma maconha sabendo que faz mal. De repente, vive o dilema entre obter o prazer que a droga dá naquela hora e preservar o corpo. Ao optar pela droga, ele desrespeita o próprio corpo. Destrói a defesa contra coisas nocivas erguida pelos pais desde cedo que até então funcionava naturalmente: não se fazer mal.

No começo, a maconha pode ir ao encontro de seu espírito de aventura: "Eu não acho tão ruim assim". Ocorre que, se os pais é que cuidavam do corpo do filho, portanto ele nunca precisou se cuidar para valer, não é agora que ele vai começar a fazer isso.

Na adolescência, ele convive com pessoas que não são da escolha dos pais. Se no ambiente que freqüenta tiver gente usando maconha, o adolescente talvez comece a achar que droga não faz tão mal. Afinal, aquele cara, que é tão legal, usa e ninguém o discrimina...

O convívio vai mudando lentamente seu ponto de vista em relação à maconha. Passa a achá-la cada vez mais natural. E existe toda uma cultura que minimiza os malefícios da maconha: "Não vicia", "Não faz mal", "A pessoa pára quando quiser" etc. Tais afirmações não têm fundamentação científica, porém.

MACONHA: DESCULPAS E MENTIRAS

A princípio o adolescente usa maconha ocasionalmente, junto com amigos. Se os pais desconfiam, ele nega: "Como você duvida do seu filho?" Se outra pessoa trouxe a informação, um vizinho, por exemplo, o argumento é: "Quer dizer que você acredita mais em estranhos do que em mim?" O filho comete um ato indevido e usa a credibilidade anterior para justificar o que supostamente não fez. Se omitir não era bom, mentir (faltar com a verdade) é ainda pior.

Os pais vão acreditando nessa negação. Aos poucos, começam a surgir outros sinais. Por exemplo, ele dorme até mais tarde, troca todos os amigos, já não acha interessante sair com gente careta (que não fuma). As mudanças são graduais. Todo dia um pouco. Quem mora debaixo do mesmo teto nem sempre percebe.

CONVERSAS COM IÇAMITIBA

Certo dia, de "filante" se torna comprador de maconha e passa a guardar a droga em casa. Quando compra é porque já está num nível que o impede de esperar eventuais aparições. Quer ter seu estoque. Da mesma forma, quando não se satisfaz mais em pedir cigarro aos amigos, ele compra o primeiro maço. Nesta altura, os pais já ouviram diversos boatos. Mas o filho continua negando tudo. Até que a empregada, ao arrumar o quarto dele, acha a droga.

A maioria dos usuários vai ficando tão familiarizada com a droga que acaba se descuidando e sendo descoberta. Existe um mito popular: se um filho dá pistas de que está usando drogas está pedindo ajuda. Não é verdade!!! Se o pedido de ajuda fosse verdadeiro, ao ser interrogado pelos pais, ele contaria toda a verdade. E qual é a primeira coisa que diz? "É de um amigo." Sustenta que guardar na casa do amigo é sujeira, como se na casa dele estivesse tudo limpo, liberado. Deve estar limpo mesmo, porque vocês, pais, acreditam em tudo o que ele diz.

Quem pede ajuda, de fato,
aproveita a oportunidade para lançar
seu grito de socorro. O adolescente
continua negando que usa droga, e os pais,
por acreditar tanto nele, acabam
alimentando essa mentira.

76 • O EXECUTIVO & SUA FAMÍLIA

O uso de drogas pode ser comparado à traição conjugal. Enquanto o traído acreditar na conversa do traidor, este continuará negando. E a situação se perpetuará ainda que ele descubra com quem foi traído. A menos que o outro esteja disposto a romper o relacionamento, quando então assume a traição. O adolescente que utiliza a droga para agredir os pais pode aproveitar a deixa. Mas esses casos são raros.

Assim como o cônjuge traído, a família é sempre a última a saber. Na falta de alternativa, o adolescente pode, finalmente, assumir o uso. A clássica resposta: "É, fumei algumas vezes". A essa altura, deve estar fumando maconha todos os dias. E os pais sentem-se traídos diante da mentira do filho.

Cada família reage de um jeito, porém a maioria dos pais acha que é capaz de tirar a droga da vida do adolescente. O pai, geralmente, recorre a castigos, cortes de mesada, controle de saídas, mudanças de ambientes etc. Entretanto, ao adotar a postura de que pode controlar a situação, o pai, ou a mãe, transmitem ao filho a falsa idéia de que este também pode. Não é à toa que, numa manifestação de poder sobre a droga, ele diz: "Eu uso porque quero, e paro quando quiser". Com os pais chocados, emocionalmente abalados, o filho faz promessas: "Não vou mais usar, eu juro!"

E há pais que acreditam! Se o filho mentiu até agora, que crédito tem? Quem garante que cumprirá a promessa?! Só acredita quem quer ser enganado novamente.

Os vários canabistas (fumadores de *cannabis sativa*, ou seja, maconha) que atendo confidenciam em terapia que só prometem parar para sossegar os pais. No fundo, planejam caprichar para não "dançar" outra vez. E, de fato, quando os pais sossegam, acreditando na promessa, eles retornam ao uso, desta vez com cuidado redobrado.

Com o passar do tempo, a maconha atinge o segundo nível. As alterações não se limitam ao comportamento. O adolescente sofre prejuízos mentais: perde o ânimo, a concentração e a atenção. E, fumando nesse estado, é claro que o garoto "dança" pela segunda vez.

O choque dos pais é muito maior porque, além de estar usando droga, seu filho descumpriu uma promessa. Eles se sentem duplamente traídos. Querem tomar decisões drásticas. Partem para ofensas: "Você é um viciado!"; "Vamos interná-lo!". Ou partem para a violência física.

Nem sempre a segunda "dançada" é em casa. O filho pode ter sido flagrado pela polícia e os pais, chamados à delegacia. Ali, diante do delegado, eles são obrigados a enfrentar diretamente a dura realidade que tanto se esforçaram para evitar.

Nas delegacias se encontram desde orientações honestas, procurando preservar a família, que é o procedimento natural, até a simples extorsão de funcionário para não pôr o jovem atrás das grades.

A droga fez o garoto mentir e agora está obrigando o pai a tomar uma atitude antiética, ao se submeter às pressões da polícia, na tentativa de preservar o filho, custe o que custar. Ainda não é desta vez que o adolescente pára. Só vai dar um tempo maior.

A HORA DA VIRADA

O problema persiste até que o filho alcance o terceiro nível, do comprometimento físico: intoxicação, overdose, síndrome de abstinência etc. O primeiro nível é o ético, o segundo, o psicológico, e parece que só quando se atinge o corpo a coisa fica grave. Aí talvez valha a pena interná-lo numa clínica para desintoxicação, indicada por um profissional. Os hospitais, em sua maioria, estão mal preparados: tratam do organismo, sim, mas não têm estrutura para cuidar da parte psicológica, muito menos da ética.

A droga confere ao usuário uma falsa sensação de poder, de usufruir somente o prazer que ela proporciona. Os prejuízos aparecem muito mais tarde. Por isso, o adolescente continuará a usá-la enquanto sentir que a mantém sob controle. Só vai tentar largá-la quando constatar que ela o domina, faz dele seu prisioneiro.

CONVERSAS COM IÇAMI TIBA

*Os pais conseguem afastar
o filho das drogas quando
admitem sua impotência para
resolver o problema e procuram
auxílio especializado.*

Enquanto os pais confiarem em atitudes repressoras para afastar o adolescente da maconha, a droga seguirá destruindo a família. A atitude mais sábia que os pais podem tomar, uma vez encontrada maconha em casa ou assim que começar o zumzumzum (pois ninguém fala gratuitamente), é pedir ajuda a quem tem experiência em lidar com o problema: amigos, parentes, profissionais, grupos de auto-ajuda.

Ignorar os boatos é tornar-se cúmplice do uso da droga. Tampouco é possível lutar contra ela sem engajar o filho nessa guerra: "Não adianta defender quem não se protege". A reincidência prova quanto os pais que se achavam capazes de dominar a droga foram derrotados.

É de acreditar que sempre tentaram fazer o melhor que conheciam. Numa situação de crise como essa, a família tende a agir do mesmo jeito, só que com maior intensidade. Perda de tempo! Não adianta insistir no que não funcionou até agora.

A maioria dos usuários de maconha que acompanhei em meu trabalho só conseguiu vencer a droga quando a família modificou o comportamento:

reconheceu que tinha sido vencida por ela e buscou ajuda externa.

É preciso atacar o despertador do vício fortalecendo as estruturas de defesa do jovem. Isso é trabalho de profissional.

E SE O FILHO DEMORA A CRESCER?

Num mercado de trabalho altamente competitivo que paga mal aos recém-formados, uma situação tem se tornado cada vez mais freqüente: os filhos continuam funcionando como adolescentes em casa, apesar de já terem chegado aos 30 anos. São adultos física e psicologicamente, têm independência, vida sexual ativa, mas, como ganham pouco, ficam morando na casa dos pais como filhos grandes, os "filhões".

Os pais, embora muitas vezes não consigam disfarçar o próprio incômodo, alimentam essa situação, como se lá no fundo carregassem certa culpa por não terem criado um filho mais batalhador.

Um advogado recém-formado pode ganhar setecentos reais por mês. Para o pai, é mais cômodo deixá-lo em casa do que esperar que se mate de trabalhar, principalmente porque ele sabe quanto o filho deveria ganhar para manter o padrão de vida que lhe garante: carro, mesada boa, roupa de marca, barzinhos e viagens nos fins de semana, cama, comida, roupa lavada e passada.

CONVERSAS COM IÇAMITIBA

Pais têm remorso de talvez não terem criado um filho mais batalhador.

Mais grave do que as circunstâncias, porém, é a falta de compromisso com a vida que esses "filhões" demonstram, como se pudessem viver eternamente à custa dos pais. Isso ocorre, sobretudo, com filhos de pais extremamente doadores e hipersolícitos, que lhes ensinaram a só ter benefícios, sem jamais arcar com o custo de seus desejos.

COMO ADMINISTRAR A EMPRESA-AFETO

Na empresa-afeto, o que conta é a satisfação; o lucro é a realização pessoal e não somente o retorno financeiro. A competição é mais saudável, e o amor é essencial.

Você precisa saber que os princípios de administração da empresa-afeto são muito diferentes dos que governam a empresa-trabalho. O mercado estimula o melhor rendimento da pessoa para obter o maior lucro, numa competitividade em que nem sempre a ética e a cidadania são respeitadas. Já a empresa-afeto requer um investimento de longuíssimo prazo. O retorno só vai aparecer lá longe, no futuro. Cada vez que o filho não corresponde é como se o investimento estivesse perdido, desanimando quem espera resultado rápido. Se seu filho estiver realizado, você automaticamente vai obter retorno financeiro.

Pense: por que você consegue ouvir um funcionário mas não ouve seu filho?

Por que se dispõe a investir para melhorar a qualidade de vida no trabalho e não faz o mesmo em sua casa? Onde está o nó? Por que é tão difícil?

É o modelo de pai dentro de você que está falido. Antes mesmo de atingir os 5 anos, você já tinha dentro de você 80% do modelo de seu pai. Até os 3 anos, o cérebro não está maduro para ter memória de fixação e de evocação como o dos adultos. O que é fixado com o tempo é esquecido e, portanto, impossível de ser evocado. O que você lembra está numa infância reconstruída por fotografias, referências de outras pessoas que se lembram de você bebezinho.

Mas você registra o modelo de seu pai no comportamento. Isto é, quando você passa a ser pai. Sem perceber, você acaba funcionando como seu pai funcionou. É por isso que você às vezes age como um pai moderno, principalmente quando tudo vai bem, e outras vezes como seu pai, sobretudo nos momentos de maior tensão psicológica.

Se continuar a funcionar baseado nesse velho modelo, estará falido. Você pode argumentar que não existe uma escola que ensine como ser pai. Tem razão. Mas não é justificativa para continuar imobilizado. Dá para mudar, sim. O primeiro passo é tomar consciência da situação.

CONVERSAS COM IÇAMITIBA

A MÃO E OS CINCO DEDOS

A vida pode ser comparada à mão: a palma é a personalidade, e os dedos, seus papéis na vida. Algumas pessoas têm na mão um dedo mais desenvolvido que os demais. Muitos executivos dedicam-se tanto ao trabalho que acabam tendo um dedo, o do trabalho, maior que todos os outros – como se aquele papel de homem de negócios fosse sua personalidade.

Mas o sucesso no trabalho não o capacita a ser pai. É como se, ao lado de um dedo enorme, os outros quatro fossem atrofiados. A mão completa tem cinco dedos, a personalidade várias funções. E, por mais superdesenvolvido que seja, um dedo sozinho não supre relacionamentos afetivos.

Com um único dedo se sobrevive, mas, para viver bem, todos os dedos são necessários. Assim são as pessoas. Não sendo auto-suficientes, precisam do afeto dos outros. Ensine isso a seu filho.

Uma mão, mesmo com todos os dedos, é única.
Não se lava sozinha. Precisa da outra.
Só as duas juntas lavam o rosto.

QUAL SERIA A MÃO FELIZ?

Fiz um levantamento com alguns homens para verificar quais eram as áreas importantes para que se sentissem realizados. Se a mão é a personalidade e

84 • O EXECUTIVO & SUA FAMÍLIA

os dedos as funções, "qual seria a mão feliz?", perguntei-lhes. Os entrevistados relacionaram as funções relevantes em sua vida e quanto se dedicavam a elas.

Da amostra só fizeram parte executivos, portanto a pesquisa não é significativa para a sociedade. Para esse grupo, a função que mais se destacou foi o trabalho. Assim, encontrei diversos deles que poderiam melhorar sua base familiar e sua atuação como pais. Quem tem uma família feliz dispõe de uma base afetiva adequada e de mais sossego e tranqüilidade para desenvolver seu trabalho.

É muito importante ser um profissional bem-sucedido, pois suas conquistas profissionais beneficiam também sua família. O que não pode haver é o contrário, infelizmente bastante comum: diluir a família para alimentar o lado profissional.

"Quero silêncio em casa", ordena o homem na volta do trabalho. E assim os filhos nem podem conviver com o pai. Cuidado, portanto, para que sua família não se resuma à "família de fotografia". A imagem é linda: o pai no centro, a mãe ao lado, toda a prole reunida em volta. Mas um não conversa com o outro. Convivência não existe.

E, além disso, família não são só filhos. Inclui a mulher e o seu próprio papel de marido. Nisso talvez você precise melhorar também. O relacionamento entre marido e mulher atualmente é tão denso que merece um livro inteiro.

FILHOS DE CASAMENTOS DIFERENTES

Nem sempre a primeira família constituída oferece o alimento afetivo que o homem espera. Que case e recase, forme outra família, que seja feliz. Mas trate bem as pessoas pelas quais é responsável. Um novo relacionamento é tão importante que o homem faz de tudo para conquistar a companheira.

O homem e também os macacos hominídeos. Uma pesquisa com chimpanzés que levou 31 anos para ser concluída mostra que, para conquistar uma fêmea com filhotes, o chimpanzé galanteador suporta todas as travessuras dos baixinhos: que lhe puxem os pêlos, que o cutuquem, que atirem nele punhados de areia. A reação natural do macho em outras ocasiões seria lhes aplicar um corretivo. Mas, por saber que um gesto rude com o macaquinho pode atrapalhar seu projeto de conquistar a mãe dele, suporta a chateação toda como se não se incomodasse.

Quando o executivo se separa da esposa e se interessa por outra mulher, seu lado animal entra em ação: muitas vezes ele esquece os filhos que teve com a primeira e passa não só a agradar as crianças da nova companheira como a deixar que façam com ele o que jamais permitiu que seus filhos fizessem.

São distintos códigos de comportamento que um pai tem perante os filhos que ficaram morando com a ex-mulher, perante os filhos da companheira com o ex-marido dela e perante os filhos do relacionamento atual.

Precisamos ser um pouco mais evoluídos, atingindo um nível de responsabilidade para respeitar e sustentar os filhos mesmo não morando com eles. E de ética, para obter o respeito das crianças que não têm seu sangue, mas para as quais você exerce papel de pai. Apesar de ter optado por diferentes constituições familiares, você tem o direito de exigir o respeito de todos e o dever de respeitá-los.

E POR FIM, ÉTICA E CIDADANIA

A verdadeira cidadania vem da ética, que por sua vez se origina da educação. Pode, no entanto, ocorrer o caminho inverso e a cidadania conduzir à ética, que leva à educação. Na hora em que a sociedade obriga a cumprir uma lei, cobrando multa de quem a transgride, ela pode estabelecer um padrão de comportamento do cidadão. Tal padrão pode levar à formação de uma estrutura ética dentro do indivíduo.

É bastante conhecida a mudança de comportamento que ocorre em um mesmo indivíduo em casa ou no trabalho e no comando de um veículo. Estar na direção de um ônibus é ter nas mãos um poder que em nenhum outro lugar se obterá.

Os motoristas brasileiros são bastante mal-educados se comparados aos dos países mais desenvolvidos. Cada um se sente o melhor no trânsito e procura fazer o que lhe dê vantagens. Repare que essa filosofia também se encontra em outras áreas.

CONVERSAS COM IÇAMI**TIBA**

Cada um reclama da transgressão do outro, sem atentar para suas próprias infrações. Dentro das famílias, os filhos não respeitam ordens nem atendem pedidos dos pais em relação ao carro. Pegam o carro escondidos, abusam ao volante e não tomam o necessário cuidado de não beber quando estão dirigindo.

Hoje em dia, o estado está sendo "bom pai", porque com regras de trânsito mais rígidas e claras, que estipulam conseqüências às desobediências, cria-se um espírito de educação no trânsito. Os abusos vinham da falta de educação e da impunidade. As pessoas, por exemplo, não estavam habituadas a usar o cinto de segurança, apesar de saberem de sua importância. Sabiam, mas não tinham essa prática. É como se não soubessem. Veio a lei municipal da obrigatoriedade do uso de cinto de segurança. Mas, como não aplicava multa a quem não a obedecesse, no primeiro momento a lei não pegou. Quando foi instituída a multa aos transgressores, todos começaram a usar o cinto.

De início, todos tinham de pensar para usá-lo (fase do conhecimento). Depois passaram a colocá-lo automaticamente (sabedoria).

E já que filhos são para sempre, precisam ser exercitados na função de cuidar dos pais. Faz parte do ciclo da vida o pai ancião depender dos filhos. Então, se não for por amor ao filho, que seja por amor a si próprio. Os pais devem estimular a Integração

Relacional para serem bem-cuidados na velhice. Do contrário, o asilo os aguarda. A título de prevenção, comece preparando bem os filhos.

Nós, seres humanos, temos a grande capacidade de, uma vez conscientes, tentar modificar o que não está bom.

Meu desejo é que, se não pôde usufruir seus filhos nem cuidar tanto deles, você curta pelo menos seus netos!

Sobre Içami Tiba

Filiação: Yuki Tiba e Kikue Tiba.
Nascimento: 15 de março de 1941, em Tapiraí, SP.

1968. Formação: médico pela Faculdade de Medicina da USP.

1970. Especialização: psiquiatra pelo Hospital das Clínicas da FMUSP.

1970-2008. Psicoterapeuta de adolescentes e consultor de famílias em clínica particular.

1971-77. Psiquiatra-assistente no Departamento de Neuropsiquiatria do Hospital das Clínicas da FMUSP.

1975. Especialização em Psicodrama pela Sociedade de Psicodrama de São Paulo.

1977. Graduação: professor-supervisor de Psicodrama de Adolescentes pela Federação Brasileira de Psicodrama.

1977-78. Presidente da Federação Brasileira de Psicodrama.

1977-92. Professor de Psicodrama de Adolescentes no Instituto Sedes Sapientiae, em São Paulo.

1978. Presidente do I Congresso Brasileiro de Psicodrama.

1987-89. Colunista da TV Record no programa *A mulher dá o recado*.

1989-90. Colunista da TV Bandeirantes no programa *Dia a dia*.

1991-94. Coordenador do Grupo de Prevenção às Drogas do Colégio Bandeirantes.

1995-2008. Membro da equipe técnica da Associação Parceria Contra as Drogas (AP-CD).

1997-2006. Membro eleito do *Board of Directors* da International Association of Group Psychotherapy.

2000. Apresentador do programa semanal *Caminhos da educação*, na Rede Vida de Televisão.

2001-02. Radialista, com o programa semanal *Papo aberto com Tiba* na Rádio FM Mundial (95,7 MHz).

2003-08. Conselheiro do Instituto Nacional de Capacitação e Educação para o Trabalho "Via de Acesso".

2005-08. Apresentador e Psiquiatra do programa semanal *Quem Ama, Educa*, na Rede Vida de Televisão.

CONVERSAS COM IÇAMITIBA

■ Professor de diversos cursos e *workshops* no Brasil e no exterior.

■ Freqüentes participações em programas de televisão e rádio.

■ Inúmeras entrevistas à imprensa escrita e falada, leiga e especializada.

■ Patrono da Livraria Siciliano do Shopping Pátio Brasil (Brasília).

■ Mais de **3.300 palestras** proferidas para empresas nacionais e multinacionais, escolas, associações, condomínios, instituições etc., no Brasil e no exterior.

■ Mais de **76.000 atendimentos psicoterápicos** a adolescentes e suas famílias, em clínica particular.

■ Criou a Teoria Integração Relacional, na qual se baseiam suas consultas, *workshops,* palestras, livros e vídeos.

CONVERSAS COM IÇAMITIBA

■ Tem 22 livros publicados. Ao todo, seus livros já venderam mais de **2.000.000 de exemplares**.

1 *Sexo e Adolescência*. 10 ed. São Paulo: Ática, 1985.

2 *Puberdade e Adolescência*: desenvolvimento biopsicossocial. 6 ed. São Paulo: Ágora, 1986.

3 *Saiba Mais sobre Maconha e Jovens*. 6 ed. São Paulo: Ágora, 1989.

4 *123 Respostas sobre Drogas*. 3 ed. São Paulo: Scipione, 1994.

5 *Adolescência*: o Despertar do Sexo. São Paulo: Gente, 1994.

6 *Seja Feliz, Meu Filho*. 21 ed. São Paulo: Gente, 1995.

7 *Abaixo a Irritação*: como desarmar esta bomba-relógio no relacionamento familiar. 20 ed. São Paulo: Gente, 1995.

8 *Disciplina*: Limite na Medida Certa. 72 ed. São Paulo: Gente, 1996.

9 *O(a) Executivo(a) & Sua Família*: o sucesso dos pais não garante a felicidade dos filhos. 8 ed. São Paulo: Gente, 1998.

10 *Amor, Felicidade & Cia*. 7 ed. São Paulo: Gente, 1998.

11 *Ensinar Aprendendo*: Como Superar os Desafios do Relacionamento Professor-aluno

em Tempos de Globalização. 24 ed. São Paulo: Gente, 1998.

12 *Anjos Caídos*: Como Prevenir e Eliminar as Drogas na Vida do Adolescente. 31 ed. São Paulo: Gente, 1999.

13 *Obrigado, Minha Esposa*. 2 ed. São Paulo: Gente, 2001.

14 *Quem Ama, Educa!* 157 ed. São Paulo: Gente, 2002.

15 *Homem Cobra, Mulher Polvo*. 21 ed. São Paulo: Gente, 2004.

16 *Adolescentes*: Quem Ama, Educa! 138 ed. São Paulo: Integrare, 2005.

17 *Disciplina*: limite na medida certa – Novos paradigmas. 179 ed. São Paulo: Integrare, 2006.

18 *Ensinar Aprendendo*. Novos paradigmas na educação. 27 ed. São Paulo: Integrare, 2006.

19 *Seja Feliz, Meu Filho*. Edição ampliada e atualizada. 25 ed. São Paulo: Integrare, 2006.

20 *Educação & Amor*. Coletânea de textos de Içami Tiba. 2. ed. São Paulo: Integrare, 2006.

21 *Juventude e Drogas*: Anjos Caídos. 19 ed. São Paulo: Integrare, 2007.

22 *Quem Ama, Educa!* Formando cidadãos éticos. 6. ed. São Paulo: Integrare, 2007.

CONVERSAS COM IÇAMITIBA

■ Tem 4 livros adotados pelo Promed do FNDE (Fundo Nacional e Escolar de Desenvolvimento), Governo do Estado de S. Paulo – Programa de Melhoria e Expansão do Ensino Médio:
  ■ *Quem Ama, Educa!*
  ■ *Disciplina*: Limite na Medida Certa
  ■ *Seja Feliz, Meu Filho*
  ■ *Ensinar Aprendendo*: Como Superar os Desafios do Relacionamento Professor-aluno em Tempos de Globalização

■ O livro *Quem Ama, Educa!*, com mais de **560.000 exemplares vendidos**, foi o *best-seller* de 2003 segundo a revista *Veja*. Também é editado em Portugal (Editora Pergaminho), Espanha (Editora Obelisco) e Itália (Editora Italia Nuova).

■ Tem 12 vídeos educativos produzidos em 2001 em parceria com Loyola Multimídia, cujas vendas atingem mais de **13.000 cópias**: **1** Adolescência. **2** Sexualidade na Adolescência. **3** Drogas. **4** Amizade. **5** Violência. **6** Educação na Infância. **7** Relação Pais e Filhos. **8** Disciplina e Educação. **9** Ensinar e Aprender. **10** Rebeldia e Onipotência Juvenil. **11** Escolha Profissional e Capacitação para a Vida. **12** Integração e Alfabetização Relacional.

- Em pesquisa feita em março de 2004 pelo Ibope, a pedido do Conselho Federal de Psicologia, Içami Tiba foi o 3º profissional mais admirado e tido como referência pelos psicólogos brasileiros, sendo Freud o primeiro, e Gustav Jung o segundo. A seguir, vêm Rogers, M. Klein, Winnicott e outros. (Publicada pelo *Psi Jornal de Psicologia*, CRP SP, número 141, jul./set. 2004.)

Contatos com o autor
IÇAMI TIBA
TEL. /FAX (11) 3562-8590 e 3815-8460
SITE www.tiba.com.br
E-MAIL icami@tiba.com.br